筑波大学附属病院が教える
毎日おいしい 腎臓病レシピ 290

最新改訂版

監修 | 筑波大学医学医療系 腎臓内科学教授 **山縣邦弘**
　　 | 筑波大学附属病院 栄養管理室 **岩部博子**
料理 | 管理栄養士・料理研究家 **牧野直子**

Gakken

はじめに

早くから食事療法に取り組み、現在の腎機能を維持しましょう

腎機能の低下などが慢性的に続く病気を「慢性腎臓病（CKD）」といい、その患者数は、1400万人を超えることが明らかになっています。

わたしたちが日々の診察を通じて実感しているのは、糖尿病や高血圧などの生活習慣が関与する病気から慢性腎臓病に至る方が急増しているということです。このような患者さんは、腎機能が悪化する前に生活習慣の改善、特に食事改善に取り組めば、病気の進行を未然に防ぎ、人工透析などに進まずにすみます。

腎臓は沈黙の臓器といわれ、腎臓病の初期には自覚症状がほとんどありません。むくむ、貧血になるなどの自覚症状が現れるころには、腎臓の機能はかなり低下しており、心血管病や腎不全などのリスクが高くなります。慢性的に低下した腎機能は、元には戻りません。検診などで異常が指摘されたら、できるだけ早い段階から、現在の腎機能を維持するよう努めることが大切なのです。

適切なエネルギー量やたんぱく質量を守った食事をとり、適

岩部博子（いわべ ひろこ）

日本糖尿病療養指導士。日本静脈経腸栄養学会NST専門療法士。日本病態栄養学会がん専門管理栄養士。
女子栄養大学栄養学部栄養学科栄養科学専攻卒業後、筑波大学附属病院に入職。同病院栄養主任、栄養管理室室長を経て、2023年より現職。

山縣邦弘（やまがた くにひろ）

1984年筑波大学医学専門学群卒業。日立総合病院腎臓内科主任医長、筑波大学大学院人間総合科学研究科助教授などを経て、2006年より現職。

度な運動を行うなど、生活習慣の改善をすれば、肥満が解消され、現在の腎機能を維持することができるようになります。

本書ではこれまでの食生活を大幅にかえずにできる、当院で行っている食事療法のポイントや調理のコツなどを紹介しています。また、簡単に作れて味も満足できる、おいしいレシピとアレンジ例を多数掲載しています。

みなさんの、毎日の食事に活用していただければ幸いです。

筑波大学医学医療系腎臓内科学教授　山縣邦弘
筑波大学附属病院栄養管理室　岩部博子

筑波大学附属病院

1976年10月に附属病院を開院以来、地域社会と連携を図りながら、安全で質の高い医療を提供し続けています。
所在地：茨城県つくば市天久保2-1-1
http://www.hosp.tsukuba.ac.jp/
［写真提供：筑波大学］

簡単だから毎日作れる！おいしいから続けられる！

7つのポイント

腎臓病と診断されると、治療のひとつとして食事療法がスタートします。無理なく長く続けるために、この本では7つのことに重点をおいています。

ポイント1
塩分控えめで「今までどおりのおいしさ」を大切にしました

腎臓病の食事療法のスタートは、まず塩分を減らすことから。この本では、食材の切り方や調味料を使うタイミングなど、塩分控えめでもしっかりおいしく味つけできる工夫が盛りだくさん！ しかも、簡単に実践できます。

表面に塩味をつけることで、味が強く感じられ、減塩でもしっかりおいしく。

ポイント2
身近にある材料で簡単に 塩分・たんぱく質量をコントロールできます

近所のスーパーで買える、いつもの食材や調味料で作れる減塩＆低たんぱく質のレシピを紹介。主食、主菜、副菜、汁ものから好きなレシピを組み合わせるだけで、塩分は1食2g未満、1日6g未満を簡単に達成できます。たんぱく質量も1食約16g、1日50gに抑えられます。

たんぱく質が多い卵も、使う量を守れば、これまでと同じおいしさで食べられます。

ポイント3
同じ食材を使ったアレンジレシピも豊富。食材がムダなく使えます

たんぱく質量を調整すると食材が余ってしまうことも。そこで、ムダなく食材を使いきれるよう、主菜のパートでは同じメイン材料で作れるアレンジレシピを紹介しています。ソースをかえるだけなど少しのアレンジでまったく別の料理に！ レパートリーがぐんと増えます。

同じ食材を使ってもう一品。マンネリ防止にも。

Part2では人気の定番おかずをメインにした献立例を紹介しています。

ポイント 4 おすすめ献立例や たんぱく質量別索引で もうメニューに迷わない

エネルギー、塩分、たんぱく質それぞれの適正量を考えながら献立を作るのは、とても大変！ そこで、この本では主菜＋副菜＋汁もの（ときには副菜2つ）のおすすめ献立例を紹介しています。1週間の献立例や、たんぱく質の数値別の索引も掲載しているので今日のメニューに迷いません。

ポイント 5 作り方はプロセス付きだから、はじめて料理する人でも安心

Part2では作り方をプロセス写真付きで紹介しています。写真を見るだけで調理のポイントがわかるので、料理が苦手な方でもすぐに作れます。

減塩のコツ、時短のコツなどマネしたいアイデアがいっぱい。

和洋中の定番レシピから、おすしなどのハレの日メニューまで幅広いラインアップ。食べたいものを我慢しなくてOK！

ポイント 7 ひとりでも家族でも 健康的な食事が楽しめます！

紹介するレシピは、肉じゃが、とんかつなど、これまでもよく食べていたような料理が中心。分量を守り、少し調理法をかえるだけで、家族全員が同じメニューを食べられます。材料は1人分で紹介しているので、人数に合わせて材料を増やしてください。

ポイント 6 デザートも 楽しめます！

エネルギーが補充できる一品と考えれば、デザートを楽しむこともできます。Part6では自宅で簡単に作れて、たんぱく質量をあまり気にしなくていいレシピを揃えました。1日の摂取エネルギー内で調整しながら楽しんで。

和菓子、洋菓子のほか、タピオカなどのエスニック・スイーツも紹介しています。

本書の見方&使い方
毎日の食事がこの1冊でおいしく簡単に作れます!

Part 3 主菜レシピ／Part 5 パン・麺・ごはんものレシピ

材料は1人分で表示
材料は1人分で表示しています。人数に合わせて材料を増やして調理ができます。

調理時間の目安がすぐわかる
調理時間の目安を示しています。下ごしらえ、調味液に浸す時間、冷蔵庫や冷凍庫で冷やす時間などは含みません。

腎臓病の方が気をつけたい4つの栄養成分とエネルギーを表示
各料理の1人分の栄養成分とエネルギー量を示しています。腎機能が低下して、カリウムの摂取量を減らすように言われた場合は、1日2000mg以下にします。

同じメイン材料で作れるアレンジレシピを紹介
ムダなく食材を使いきれるよう、肉・魚介の主菜レシピでは、同じメイン材料で作れるアレンジレシピを紹介しています。元のレシピで使用していない材料には、アンダーラインを引いています。

おすすめの献立例を紹介。1献立の合計は500～600kcal、塩分2g未満を想定
主菜レシピのパートでは、おすすめの献立例として、相性のよい副菜やスープのレシピを紹介しています。献立を考えるうえでの目安として、1献立の合計が500～600kcal、たんぱく質量が16～17g、塩分は2g未満、ごはんは150gで設定。組み合わせることでバランスがよくなります。

減塩のコツやたんぱく質を抑えるワザを紹介
塩分やたんぱく質を減らしても、おいしく食べられるようにするコツなどがわかります。食材をおいしく保存する方法なども紹介。いずれも、ほかのレシピに応用が可能です。

Part 2 献立レシピ

減塩のコツや調理のポイントがわかる
作り方や減塩のコツを、プロセス写真付きで紹介。写真を見るだけで、すぐにポイントがわかります。

Part 4 副菜レシピ／Part 6 デザートレシピ

作りおきできるものは、保存期間の目安を表示
作りおき可能なレシピは冷蔵での保存期間の目安を紹介しています。常備菜としてもおすすめです。冷凍保存できるデザートは、冷凍での保存期間を示しています。

副菜はどれも低たんぱくで減塩なのでいろいろな組み合わせが楽しめる
副菜はほとんどが、たんぱく質2g以下、塩分が1g未満です。主菜に合わせて、いろいろな組み合わせを楽しめます。

本書の表記について

- この本の料理写真はすべて、たんぱく質1日50gの人向けの1食分の量で撮影しています。
- 食材の量（にんじん½本など）はあくまで目安です。g表記を参照して、必ず計量して下さい。
- 計量単位は、大さじ1＝15mL、小さじ1＝5mL、ミニスプーン1＝1mL、1カップ＝200mLです。
- 「少々」は小さじ1/8未満、「適量」はレシピ表記に応じたちょうどよい量、「適宜」は好みで必要があれば入れることを示します。
- 電子レンジは600Wの場合の加熱時間です。500Wの場合は1.2倍、700Wの場合は0.8倍で計算して加熱して下さい。
- 栄養成分は「日本食品標準成分表2020年版（八訂）」をもとに算出し、小数点第2位を四捨五入しています。
- 「塩分」という呼び方が一般的に使われているため、本書では「塩分」と表記していますが、正式な名称は「食塩相当量」です。

CONTENTS

Part 1 腎臓病の基礎知識

- 2 はじめに
- 4 簡単だから毎日作れる！ おいしいから続けられる！ 7つのポイント
- 6 本書の見方＆使い方
- 14 腎臓のしくみを知ろう① 腎臓の働きを教えて！
- 16 腎臓のしくみを知ろう② 慢性腎臓病の診断基準＆治療法は？
- 18 筑波大学附属病院の栄養指導のポイント① 食塩は1日3g以上6g未満に
- 20 筑波大学附属病院の栄養指導のポイント② 肥満ならエネルギー量を適正に
- 21 筑波大学附属病院の栄養指導のポイント③ たんぱく質は適切な量をとる
- 22 献立の立て方① 献立例から見る改善ポイント
- 24 献立の立て方② 組み合わせ自在！ レシピの選び方
- 26 1週間の献立例
- 30 毎日、食事日記をつけよう

Part 2 献立レシピ

- 32 鶏のから揚げ定食
  鶏のから揚げ／パプリカの甘酢漬け／クリームコーンスープ
- 34 豚肉のしょうが焼き定食
  豚肉のしょうが焼き／ゆでキャベツのコールスローサラダ／ほうれん草としめじのみそ汁
- 36 鶏の照り焼き定食
  鶏の照り焼き／大根とにんじんの酢のもの／じゃがいもとねぎのみそ汁
- 38 あじフライ定食
  あじフライ／かぼちゃのサラダ／白菜のスープ
- 40 さわらの西京焼き風定食
  さわらの西京焼き風／揚げなすのポン酢和え／しいたけと三つ葉のすまし汁
- 42 基本のだしのとり方

Part 3 主菜レシピ

- 44 ●主菜で使うメイン食材の選び方

肉のおかず

【牛もも肉】
- 46 牛もも肉とたまねぎのガーリック炒め
- 47 チンジャオロース―／牛肉、ピーマン、ゆでたけのこの塩炒め
- 48 牛もも肉のみそ漬け焼き
- 49 焼き肉（たれ味）／焼き肉（おろしポン酢味）
- 50 牛もも肉のカレーソテー
- 51 牛もも肉のステーキ マッシュポテト添え／牛もも肉のステーキ 赤ワインソース

【牛薄切り肉】
- 52 牛肉とにんじんのケチャップ煮
- 53 アスパラガスの牛肉巻き揚げ／ねぎの牛肉巻き焼き

【牛こま肉】
- 54 牛こま肉とキムチの炒めもの
- 55 牛肉とごぼうのしぐれ煮／牛肉とごぼうのケチャップ煮

【豚ヒレ肉】
- 56 豚ヒレ肉の中華ソテー
- 57 チーズヒレカツ／梅しそカツ

58 治部煮
59 豚ヒレ肉のクリーム煮／豚ヒレ肉のカレー煮
[豚もも肉]
60 豚肉とトマトの炒め煮
61 ホイコーロー／豚もも肉ともやし炒め
[豚ロース肉]
62 酢豚
63 ポークソテー ケチャップソース／ポークソテー マスタードソース
[豚バラ肉]
64 白菜の重ね蒸し
65 肉じゃが／肉じゃが カレー味
[鶏もも肉]
66 ユーリンチー ねぎソース
67 チキンソテー／チキンソテー オレンジソース
[鶏むね肉]
68 焼き手羽先
69 手羽先ポトフ／手羽先のクリーム煮
[鶏手羽先]
70 蒸し鶏
71 ヨーグルトみそ漬け焼き／ヨーグルト塩麹漬け焼き
[ひき肉]
72 ミートボールのトマト煮
73 鶏団子の中華煮込み／和風鶏団子

魚介のおかず

[鮭]
74 鮭の竜田揚げ
75 鮭の塩麹焼き／鮭のホイル焼き

[さば]
76 さばの酢じめ
77 さばのみそ煮／さばの揚げ煮
[ぶり]
78 ぶりしゃぶ
79 ぶりの照り焼き／ぶりのガーリックソテー
[あじ]
80 あじの洋風マリネ
81 あじのムニエル／あじのマヨネーズ焼き
[いわし]
82 いわしのロール揚げ
83 いわしのつみれ煮／いわしのトマト煮
[かじき]
84 かじきとあさりのワイン蒸し
85 かじきのマリネ／かじきのフライ
[かつお]
86 かつおの角煮
87 かつおのたたき／かつおの竜田揚げ
[たい]
88 たいのサラダ仕立て
89 たいの中華蒸しごま油がけ／たいのポワレ
[いか・えび]
90 いかのてんぷら
91 いかのアヒージョ
92 いかのバジル炒め
93 えびのかき揚げ
94 えびのチリソース炒め
95 えびとセロリのスパイシー炒め

具だくさん鍋

- 96 水炊き鍋
- 97 カキのみそ鍋／ブイヤベース

大豆のおかず

- 98 塩麻婆豆腐
- 99 豆腐チャンプルー
- 100 湯豆腐
- 101 豆腐のかば焼き風
- 102 豆腐のベーコン巻き焼き
- 103 豆腐と揚げなすのボリュームサラダ
- 104 あさり入り炒り豆腐
- 105 焼き豆腐のすき焼き風
- 106 揚げ出し豆腐
- 107 厚揚げのきのこあんかけ
- 108 厚揚げのステーキ ガーリック風味
- 109 厚揚げのポン酢炒め
- 110 厚揚げのもやしあんかけ
- 111 厚揚げのクリーム煮
- 112 がんもどきの煮もの
- 113 油揚げのねぎつめ焼き
- 114 大豆のかき揚げ
- 115 大豆とセロリのトマト煮

卵のおかず

- 116 ほうれん草ソテーの巣ごもり目玉焼き
- 117 揚げ卵のカレーソースがけ
- 118 もやし入りオムレツ
- 119 温野菜の温玉サラダ
- 120 レタスとふんわり卵炒め
- 121 くずきり茶碗蒸し
- 122 だし巻き卵／アンチョビ風味のスクランブルエッグ
- 123 揚げ春雨と揚げ卵の中華炒め
- 124 いろいろな料理に使える ソース・ドレッシング
  - フレンチドレッシング／ポン酢ドレッシング／わさびマヨネーズ／からしマヨネーズ／ねぎラー油だれ／ごまだれ／カレーマヨだれ／中華だれ／シーザードレッシング／粒マスタードだれ

Part 4 副菜レシピ

- 126 ●副菜で使う食材の選び方

【青菜】
- 128 小松菜のガーリック炒め／春菊のごま和え
- 129 ほうれん草の松の実炒め／ほうれん草の煮びたし
- 130 チンゲン菜の中華炒め煮／菜の花のからし和え

【水菜】
- 131 水菜と油揚げの煮もの／水菜ののり和え

【にんじん】
- 132 キャロットラペ／にんじんのリボンサラダ
- 133 にんじんの甘煮／にんじんのナムル／にんじんとコーンのソテー

【トマト】
134 トマトとオレンジのサラダ／トマトのガーリック炒め
135 トマトとたまねぎの和風サラダ／ミニトマトのごま酢和え／ミニトマトのはちみつ漬け

【ピーマン・パプリカ】
136 ピーマンの焼きびたし／パプリカの塩昆布和え
137 ピーマンのきんぴら／パプリカのアンチョビ炒め

【ブロッコリー】
138 ブロッコリーの塩ごま和え／ブロッコリーのからし和え
139 ブロッコリーのチーズ炒め／ブロッコリーとフライドオニオンのサラダ

【かぼちゃ】
140 揚げかぼちゃ／かぼちゃの甘煮

練り製品・加工食品
141 さば缶とキャベツチャンプルー／コンビーフとレタスの炒めもの／かにかまときゅうりのマヨ和え／ちくわの磯辺揚げ／ロースハム、セロリ、春雨のサラダ／ソーセージのジャーマンポテト

【キャベツ】
142 キャベツとコーンのサラダ／キャベツのしらす和え
143 キャベツのクミン和え／キャベツの煮びたし／キャベツの塩昆布和え

【白菜】
144 白菜のしょうが煮／白菜のマヨネーズ和え
145 白菜のオイスターソース炒め／白菜のレモン風味漬け

【もやし】
146 もやしのカレー煮／もやしの甘酢漬け
147 もやしのオイスターソース炒め／もやしののり和え

【たまねぎ】
148 たまねぎと水菜のサラダ／たまねぎの煮びたし
149 たまねぎのから揚げ／たまねぎのソース炒め

【大根】
150 揚げ大根のおかか和え／大根のからしマヨネーズサラダ
151 大根のナムル／大根のだし煮／大根のしそ和え

【かぶ】
152 かぶの葉のごま和え／かぶのコンソメ煮
153 かぶのカレーマヨサラダ／かぶのゆずこしょう和え／かぶの葉のペペロンチーノ炒め

【なす】
154 揚げなすの煮びたし／なすの甘酢マリネ

【きゅうり】
155 たたききゅうり／きゅうりと春雨のサラダ／きゅうりのクミン炒め

浅漬け・ピクルス
156 白菜の浅漬け／かぶの塩麹漬け／にんじんのヨーグルトみそ漬け
157 パプリカのピクルス／ごぼうのピクルス／ザワークラウト風キャベツ

【ごぼう】
158 ささがきごぼうと三つ葉のごま和え／ごぼうのトマト煮
159 揚げごぼう／せん切りごぼうとにんじんのサラダ／ごぼうのマリネ

【れんこん】
160 れんこんなます／れんこんの黒こしょう炒め

【さといも】
161 揚げ出しさといも／さといものとろろ昆布和え

【こんにゃく】
162 ちぎりこんにゃくのこしょう炒め／田楽

Part 5 主食レシピ
●たんぱく質を上手にとるアイデア

[しらたき]
- 163 しらたき、にんじん、きゅうりのマヨサラダ／しらたきとピーマンのチャプチェ

[きのこ]
- 164 ミックスきのこのホイル焼き／なめことえのきのしぐれ煮
- 165 焼きしいたけのおろし和え／マッシュルームのごま酢和え
- 166 ミックスきのこのオイル漬け

[海藻]
- 167 きざみ昆布とさつまいもの煮もの／わかめの炒めナムル風
- 168 もずくと長いもの和えもの／ひじきとえのきの梅煮／わかめフライ

●うす味でもおいしく食べられる汁もの
- 169 オクラと納豆のみそ汁／ミニトマトとわかめのみそ汁／もずく酢のサンラータン
- 170 かぶのすりながし／キャベツとコーンのミルクスープ
- カリフラワーのカレースープ
- 春雨と大根、にんじんのすまし汁／にらと揚げ春雨の中華スープ
- にんじん、たまねぎ、絹さやのコンソメスープ

- 172 ガパオ
- 174 カレーライス
- 175 チキンドリア／かにあんかけチャーハン
- 176 ガパオ
- 177 ひつまぶし／キンパ
- 178 シーフードチャーハン／クリームリゾット
- 179 ちらしずし／オムライス
- 180 クロワッサンサンド／米粉パンのフレンチトースト
- 181 和えそば／トマトパスタ
- 182 鶏肉のフォー／パッタイ
- 183 五目焼きそば／冷やし中華

お弁当
- 184 タンドリーチキン弁当
- 186 ぎんだら塩麹漬け揚げ弁当

減塩作りおきおかず
- 188 ズッキーニの粒マスタード和え／れんこんとにんじんのきんぴら／ぜんまいのごま炒め／ひき肉のこしょう炒め／自家製鮭フレーク／さつまいものレモン煮

Part 6 デザートレシピ
●デザートの食べ方のポイント

- 190 洋なし缶のババロア風／いちごジャムの炭酸ゼリー
- 192 ゆであずきの寒天よせ／かるかん
- 193 缶詰フルーツのフルーツポンチ／りんごジュース寒天
- 194 さつまいももち／タピオカ入りクリームティー
- 195 りんごのレンジコンポートクリームチーズ和え／栗甘露煮のココア和え
- 196 みつ豆風くずもち／タピオカのココナッツミルク仕立て
- 197 ヨーグルトマシュマロ／くずきりの甘酒仕立て
- 198 くずもち風きなこもち／揚げ白玉
- 199 さつまいももち

- 200 栄養成分早見表
- 204 食材別索引
- 207 たんぱく質量順索引

Part 1

正しい知識が、腎臓を守る!

腎臓病の基礎知識

まずは病気を知ること。これが治療の第一歩です。
筑波大学附属病院で実際に患者さんに指導している内容と、
基本的な情報を紹介します。

【INDEX】
- 腎臓のしくみを知ろう…p.14〜17
- 筑波大学附属病院の栄養指導のポイント…p.18〜21
- 献立の立て方…p.22〜25
- 1週間の献立例…p.26〜29

コラム 毎日、食事日記をつけよう…p.30

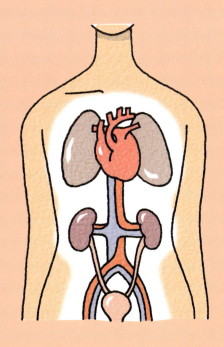

腎臓の働きを教えて！

腎臓のしくみを知ろう①

腎臓は体内でどのように働いているのか、どうすれば腎臓の状態がわかるのかを知ることが腎機能を守る第一歩です。

腎臓で全身の血液が濾過されてきれいになる

腎臓には主に3つの働きがある

1 血液を濾過して老廃物を取り除く

全身を巡っている血液は腎動脈から腎臓に送られ、糸球体に流れる。糸球体での濾過後、尿細管での分泌と再吸収を経て、老廃物は尿として排出される。

2 体内の水分量や電解質の濃度を一定に保つ

尿を排出して体内の水分量を一定に保つ。また体内の電解質の濃度を一定にコントロールし、pHバランスを中性～弱アルカリ性に保つ。

3 ホルモンの分泌により血圧などを調整する

血圧を調整するホルモンを分泌する機能や、骨を強くするビタミンDを活性化させ、カルシウムの吸収を促す働きがある。

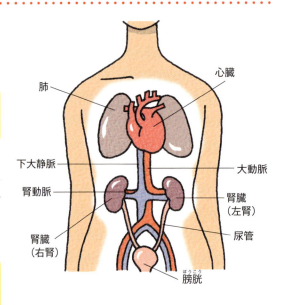

肺／心臓／下大静脈／大動脈／腎動脈／腎臓（左腎）／尿管／腎臓（右腎）／膀胱

腎臓は背中側のウエストの少し上にある

腎臓は握りこぶしほどの大きさの、そらまめのような形をした120～150gの臓器。背中側の、ウエストの少し上に、左右ひとつずつある。

腎臓には水分量を保つ、血液をきれいにするなどの働きがある

腎臓には、血液を濾過して老廃物を取り除く、尿を作って体内の水分量や電解質の濃度を一定に保つ、ホルモンの分泌により血圧などを調整するなどの働きがあります（→上図）。腎臓は生きていくうえで欠かせない臓器です。

一方で、"沈黙の臓器"ともいわれます。多少その働きが低下しても、表立った症状が現れないからです。急激に腎機能が低下した場合には、むくみや頭痛、だるさなどの症状が見られることがありますが、ほとんどの場合ゆっくり進行し、健康診断の尿検査や血液検査で異常に気づきます。このような状況から、自覚症状がみられるころには病気が進行していて、重度の腎機能低下が起こっています。

14

血液検査と尿検査で腎臓が正常かわかる

血液検査でわかる

検査項目	標準値
クレアチニン（Cr）	男性 0.7~1.1mg/dL 女性 0.5~0.9mg/dL

クレアチニンは体内の老廃物のひとつ。eGFRは、このクレアチニンの値を基に年齢と性別から算出される。

検査項目	標準値
eGFR	60mL/分/1.73㎡以上

eGFRとは推算糸球体濾過量のことで、上記のクレアチニンの値を基に年齢と性別から算出される。

eGFR 60未満
腎機能が低下している

eGFRが60mL/分/1.73㎡未満とは、糸球体で濾過できる血液量が、健康な場合の60％未満ということ。健康な場合を100とし、数値が低くなるほど、腎機能の働きも悪くなる。

尿検査でわかる

検査項目	標準値
尿たんぱく	陰性（−）
尿潜血	陰性（−）

腎炎、腎症などの腎臓の病気の診断に必要。

尿たんぱくが陽性
腎機能が低下している

尿たんぱくが0.15g/日以上（1+、2+以上）の場合は、腎臓に異常がある証拠。

いずれか、または両方の状態が 3か月以上 続くと

慢性腎臓病（CKD）と診断される

改善を始める
生活習慣と適切な治療で進行を食い止められる

そのままにしておく
どんどん悪化し、腎不全や脳梗塞などをまねく

尿検査と血液検査から腎臓の状態がわかる

腎機能の低下とは、腎臓の濾過機能が低下するということ。腎機能が正常なら、尿中にたんぱく質はほとんど含まれませんが、濾過機能が低下すると、たんぱく質が尿中にもれ出すようになったり、血液中の老廃物が排泄されなくなります。

腎臓の状態は、尿検査と血液検査からわかります。正常ならば上図のような標準値になりますが、腎機能の低下が進むと、尿たんぱくが陽性（1+、2+以上）に、クレアチニン（Cr）などから算出されるeGFRが60未満になります。このいずれか、または両方の異常が3か月以上続くと、慢性腎臓病（以下、CKD）と診断されます。

症状がないからといって放っておくと、腎臓の機能が完全に失われる腎不全になったり、全身の血管の動脈硬化が進み、心筋梗塞や脳梗塞を起こしたりする可能性も。CKDと診断されたら主治医と相談し、適切な対処をすることが大切です。

血液や尿の状態から重症度を判定する

CKDの重症度分類

緑色 ▇ を基準に、黄色 ▇ 、オレンジ ▇ 、赤 ▇ の順に死亡リスク、末期腎不全への進行や、心血管病（心筋梗塞や脳梗塞など）による死亡や発症のリスクが高くなる。

> 腎臓障害の進行度と腎機能低下の進行度が交わるところをチェック

	腎臓障害の進行度（たんぱく尿ステージ）		
	A1	**A2**	**A3**
糖尿病がある人	尿アルブミン (mg/日) 30未満	尿アルブミン (mg/日) 30～299	尿アルブミン (mg/日) 300以上
糖尿病がない人	尿たんぱく (g/日) 0.15未満	尿たんぱく (g/日) 0.15～0.49	尿たんぱく (g/日) 0.50以上
G1 eGFR (mL/分/1.73㎡) 90以上			
G2 eGFR (mL/分/1.73㎡) 60～89			
G3a eGFR (mL/分/1.73㎡) 45～59			
G3b eGFR (mL/分/1.73㎡) 30～44			
G4 eGFR (mL/分/1.73㎡) 15～29			
G5 eGFR (mL/分/1.73㎡) 15未満			

腎機能低下の進行度（GFRステージ）

（日本腎臓学会『CKD診療ガイド2012』（東京医学社）CKDの重症度分類を一部改変）

腎臓のしくみを知ろう②

慢性腎臓病の診断基準＆治療法は？

自分の腎機能がどのくらい低下しているのかを理解し、腎臓に負担をかけない食生活に改善します。

腎機能低下の進行度などから重症度を判定する

CKDと診断されたら、eGFRの値とたんぱく尿の値から重症度が判定されます。腎機能低下は、eGFRの程度によってステージG1～G5の6段階に分けられます（→上図）。ステージG3aまでは比較的ゆっくりと進行しますが、それ以降は速くなります。

腎機能は一度低下すると回復が難しいので、見つかった時点で進行を食い止めることが大切です。

たんぱく尿は、糖尿病があれば尿アルブミンで、糖尿病がなければ尿たんぱくの数値によって評価します。つまり、尿たんぱくが多く、eGFRが低いほど重症とされます。

進行度に応じて治療の内容が異なる

腎臓病はステージが進行するほど、食事などの制限が厳しくなり、そのほかの治療も複雑になる。
貧血やむくみなどの症状を抑える治療も行う。

ステージ G1 G2 の場合

- 適正エネルギー摂取量（→p.20）を守る
- 食塩摂取量を1日6g未満にする
- CKDの危険因子となる病気（糖尿病、高血圧など）の治療を行う
- 可能であれば、筋トレや有酸素運動を適宜行い、体力の確保に努める

ステージ G3a G3b の場合

現時点のステージより前の治療はすべて継続したうえで

- 1日のたんぱく質摂取量を標準体重（kg）×0.8～1.0g未満にする（→p.21）
- 高カリウム血症がある場合は、カリウムの摂取量を1日1500mg以下にする
- リンの摂取量を減らす
- 肥満がある場合は解消し、禁煙する
- 貧血などの症状が出たら、その症状に対する治療を行う

ステージ G4 の場合

現時点のステージより前の治療はすべて継続したうえで

- 1日のたんぱく質摂取量を標準体重（kg）×0.6～0.8g未満にする（→p.21）
- 尿毒症への対策を行う
- むくみ、高カリウム血症、貧血に対し、適切な治療を行う

ステージ G5 の場合

G1～G4の治療はすべて継続したうえで

- 体重や体調の変化に気をつける。むくみと同時に脱水に注意する
- 透析療法を始めると、たんぱく質の制限は緩和されるが、水分やカリウム、リンの摂取量の制限は、これまで以上に厳しくなる

G1
G2
G3a
G3b
G4
G5

基本的な治療の内容は進行度によって異なる

CKDの治療は、腎機能低下の進行度（ステージ）に合わせて行います。ステージG1、G2であれば、まずエネルギー量を適正な量にし（20ページ）、併せて食塩摂取量を1日6g未満にします。そして、CKDの危険因子となった糖尿病や高血圧などの治療を行います。

ステージG3a、G3bであれば、肥満解消と減塩を守ったうえで、んぱく質摂取量を調整する必要が出てきます。必要に応じてカリウムやリンの制限を行うこともあります。具体的な調整量は、医師から個別に指示を受けます。

いずれにしてもステージG3bまでであれば、ここまで腎機能が低下した原因をしっかり治療することで、病気の進行を食い止めることができる可能性があります。

また、たんぱく尿のステージがA3の場合は、ステージがいくつであっても腎臓専門医の診察を受けることが必要です。

筑波大学附属病院の栄養指導のポイント①

食塩は1日3g以上6g未満に

腎臓に負担をかけないようにするためには、さまざまな工夫で減塩を心がけます。

塩分1gを含む主な調味料の目安量

調味料	目安量	調味料	目安量
しょうゆ	6g（小さじ1）	ケチャップ	33g（大さじ2弱）（トマトピューレは無塩）
減塩しょうゆ	12g（小さじ2）	ウスターソース	12g（小さじ2）
ポン酢しょうゆ	12g（小さじ2）	有塩バター	53g（大さじ4と1/2弱）
みそ	8g（小さじ1強）	カレールウ	9g（カレー粉は無塩）
マヨネーズ	52g（大さじ4と1/3）	顆粒コンソメ	2g（小さじ2/3）
和風ドレッシング（ノンオイル）	14g（大さじ1弱）	練りわさび	16g（生、粉製品は無塩）
顆粒和風だし	2g（小さじ2/3）	練りがらし	14g（生、粉製品は無塩）
めんつゆ（ストレート）	30g（大さじ1と2/3）	焼き肉のたれ	12g（小さじ2）
オイスターソース	9g（大さじ1/2）	ゆずこしょう	4g（小さじ2/3）

（数値は「日本食品標準成分表2020年版（八訂）」より算出）

調味料はきちんと量ろう

正しく減塩を行うためには、食品や調味料を量って使う習慣をつけましょう。はかりや計量カップ、計量スプーン（右参照）を使い、どのくらい塩分が含まれているのかを実感するとよいでしょう。

大さじ（15mL）　小さじ（5mL）　ミニスプーン（1mL）

塩分量を知り調理時に工夫する

CKDの食事療法で、まず取り組むのが塩分制限です。腎臓病になると高血圧になりやすく、それが長く続くと腎臓に負担をかけ、悪化させてしまうからです。減塩をするには、塩や、しょうゆなどの調味料に入っている塩分量（→上図）、加工食品を含めた食材に入っている塩分量にも気をつけます。商品のパッケージに表示されていることもあるので確認してみましょう。調理時には使用する調味料ひとつひとつを計量します。目分量では使いすぎることが多いからです。一度計量することで、自分の使用量が把握できます。調味料はかけるよりつける、汁ものにはとろみをつけるなど調理法も工夫し、1日3g以上6g未満を目指します。

減塩のために工夫できること

1 味つけを工夫

酸味を利用
焼き魚、野菜サラダなどには、レモンや酢、ゆずなどをしぼったりかけたりすると、味が引き締まる。

香ばしさを利用
ごまなどの香ばしさとコクで、うまみが増す。

だしのうまみを利用
だしのきいた汁ものや煮ものは、味に深みが出て、塩分が少なくてもおいしく食べられる。

風味や香りを利用
香りのよいしょうがやしそ、ねぎなどの香味野菜は、料理の味を引き立てる。

辛さを利用
辛みにより、味にメリハリがつく。カレー粉や山椒、わさび、こしょうなどを利用するのも。

2 食べ方を工夫

調味料はかけるより、つける
しょうゆなどをつけながら食べると、調味料が直接舌につくので、少量でもしっかりと味を感じられる。

汁ものは具を増やして汁の量を減らす
汁ものは野菜やきのこなどの具を増やして汁の量を減らすと、野菜がしっかりとれ、しかも減塩になる。

3 調理法を工夫

焼いて香ばしさを出す
肉や魚は焼くと香ばしくなり、食欲をそそる。網焼きにすると、脂を落とせるメリットも。

表面に味をつける
食材の表面に味をつけるようにすると、少量でも塩味が感じられ、おいしく食べられる。

少量の油で揚げる
揚げものにすると、コクと香ばしさが出る。オリーブ油やごま油を使うと、風味とコクが増すのでおいしさがアップする。

とろみをつけてうまみを閉じ込める
水溶き片栗粉などでとろみをつけたり、「あん」にしたりすると、調味料が少なくてもよく食材にからみ、うまみを感じやすい。

栄養成分表示から食塩相当量がわかる

パッケージに記載された栄養成分表示から、食品や調味料の塩分がわかります。ナトリウム表記なら、右記の式で換算して、食塩相当量を把握します。

食塩相当量(g) ＝ ナトリウム量(mg) × 2.54 ÷ 1000

※ナトリウム量がg表示なら÷1000は不要

自分の体の肥満度を知ろう

自分の身長 ＿＿＿＿＿ m　　体重 ＿＿＿＿＿ kg

Step1　自分の標準体重を知ろう

> この体重が目標！

身長 □ m × 身長 □ m × 22 ＝ 標準体重 □ kg

Step2　BMI（体格指数）で現在の体重を評価しよう

$$\frac{\text{今の体重} \ \square \ kg}{\text{身長} \ \square \ m \times \text{身長} \ \square \ m} = BMI$$

BMI	
18.5未満	低体重（やせ）
18.5以上25未満	普通体重
25以上30未満	肥満（1度）
30以上35未満	肥満（2度）
35以上40未満	肥満（3度）
40以上	肥満（4度）

例：身長175cm（1.75m）、体重78kgの人の場合

$$\frac{78}{1.75 \times 1.75} = \mathbf{25.46} \leftarrow \text{肥満（1度）}$$

（肥満症診療ガイドライン2016より）

Step3　1日に必要なエネルギー量を計算してみよう

標準体重 □ kg × 25〜35kcal ＝ 1日に必要なエネルギー（適正エネルギー摂取量）□ kcal

> 体を動かす程度によって決める。
> 肥満の場合は低い数値で設定する。

*18〜49歳は18.5〜24.9、50〜69歳は20.0〜24.9、70歳以上は21.5〜27.4。

筑波大学附属病院の栄養指導のポイント②

肥満ならエネルギー量を適正に

肥満度と1日に必要なエネルギー量を正しく理解し、それに合わせて食事をとります。

ふだん食べている量を見直し、適正エネルギー量にする

CKDと診断されたら、毎日の食事量が適正な量かどうか、自分は肥満かどうかをチェックする必要があります。肥満は腎臓に負担をかけるからです。

まずは今の体重からBMI（体格指数）を計算して、肥満度を確認します（→上図）。BMIが22となる体重が標準体重ですが、「食事摂取基準（2020年版）」では年齢によって目標とするBMIの目安も出ています。*肥満であれば、自分の標準体重から算出した1日の適正エネルギー摂取量を守り、くとるように心がけます。今は肥満でない場合も、この機会に自分の適正エネルギー摂取量を知り、それに合わせて食事をとるのがよいでしょう。3食ともバランスよ

20

筑波大学附属病院の
栄養指導のポイント③

たんぱく質は適切な量をとる

自分にとって適切なたんぱく質量を守って、腎機能の低下を防ぎましょう。

1日の適切なたんぱく質摂取量を調べる

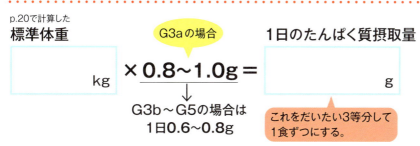

p.20で計算した **標準体重** □ kg × 0.8〜1.0g（G3aの場合／G3b〜G5の場合は1日0.6〜0.8g）＝ **1日のたんぱく質摂取量** □ g

これをだいたい3等分して1食ずつにする。

例：身長175cm（1.75m）、体重78kgの人の場合
67.375kg×0.8＝**53.9g** ←1日に摂取できるたんぱく質量

たんぱく質量を調整するポイント

❶ よく食べる食品に含まれるたんぱく質量を知る

牛乳 コップ1杯 180mL	鶏卵 1個 50g	ごはん 茶碗1杯 150g	食パン 6枚切り1枚 60g
5.7g	**5.7g**	**3.0g**	**4.4g**

❷ 高たんぱく質食品はこれまでの量の2/3にする

さけ切り身　1切れ　→　2/3切れに

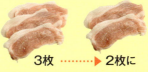
豚薄切り肉　3枚　→　2枚に

❸ たんぱく質の少ない食品にかえる　（いずれも100gあたり）

まぐろ（赤身） 22.3g	豚もも肉 16.9g	厚揚げ 10.3g
たら 14.2g	豚バラ肉 12.8g	絹ごし豆腐 5.3g

（数値は「日本食品標準成分表2020年版（八訂）」より算出）

たんぱく質量を調整してできるだけ腎臓に負担をかけない

腎臓病の人にとってたんぱく質は、腎臓に大きな負担をかけます。健康な人であれば、1日のたんぱく質摂取量は標準体重（20ページ）1kgあたり1.0gが目安ですが、CKDの人はステージG3〜G5で、たんぱく質摂取量を優先する場合は、ステージG3aで1.0g、G3b以降は0.8gが目安となります。

高齢者のなかには、たんぱく質を体重1kgあたり0.6〜0.8g程度しかとっていない人も多いようです。医師の指示によりますが、24時間の蓄尿検査でたんぱく質摂取量を調べることが可能です。

筋肉量の減少、筋力の低下）を合併したステージG3〜G5で、たんぱく質摂取量を優先する場合は、ステージG3aで1.0g、G3b以降では0.6〜0.8gとなります。サルコペニア（加齢による

G3aで0.8〜1.0g、G3b以降では0.6〜0.8

●改善前●

豚肉のしょうが焼き定食

エネルギー	塩分	たんぱく質	カリウム	リン
697kcal	4.0g	20.3g	1181mg	351mg

ごはん（150g）
エネルギー	塩分	たんぱく質	カリウム	リン
234kcal	0.0g	3.0g	44mg	51mg

オレンジ ＼カリウムが多いので控えたい！／
エネルギー	塩分	たんぱく質	カリウム	リン
15kcal	0.0g	0.2g	49mg	8mg

一般的なコールスロー ＼このままだと2/3量しか食べられない！／
エネルギー	塩分	たんぱく質	カリウム	リン
108kcal	0.7g	1.2g	166mg	40mg

白菜の漬けもの ＼塩分が多いので控えたい！／
エネルギー	塩分	たんぱく質	カリウム	リン
5kcal	0.6g	0.3g	72mg	12mg

ほうれん草としめじとわかめのみそ汁 ＼このままだと2/3量しか飲めない！／
エネルギー	塩分	たんぱく質	カリウム	リン
30kcal	1.3g	2.1g	410mg	68mg

一般的な豚肉のしょうが焼き ＼このままだと2/3量しか食べられない！／
エネルギー	塩分	たんぱく質	カリウム	リン
305kcal	1.4g	13.5g	440mg	172mg

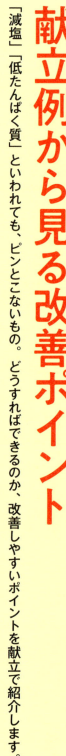

献立の立て方①

献立例から見る改善ポイント

「減塩」「低たんぱく質」といわれても、ピンとこないもの。どうすればできるのか、改善しやすいポイントを献立で紹介します。

改善ポイント

- ☑ たんぱく質を適量にするためには、**主菜の肉や魚の量を減らします**。ボリュームがなくなる分、**切り方でボリュームがあるように見せたり、野菜と一緒に調理してかさ増ししたりする**など、工夫するとよいでしょう。

- ☑ たんぱく質を減らすと、エネルギーまで減ってしまいます。**主菜や副菜を揚げものにしたり、炒めたり、油を使う料理を増やす**ことで、エネルギー量アップになります。

- ☑ 塩分を減らすには、汁ものや漬けものを控えるのがおすすめ。**汁ものは1日1杯まで**にし、**漬けものは浅漬けやピクルスなどを手作り**するなどして、塩分を減らしましょう。

- ☑ 市販のソースやドレッシングも、塩分が多いのでなるべく控えましょう。**ソースやドレッシングは手作り**にすれば塩分がグッと減ります。

●改 善 後●

豚肉のしょうが焼き定食 (→p.34)

エネルギー	塩分	たんぱく質	カリウム	リン
542kcal	1.8g	13.3g	758mg	230mg
155kcal ダウン！	2.2g ダウン！	7.0g ダウン！	423mg ダウン！	121mg ダウン！

☑ ごはんは、たんぱく質調整をする必要のないものを使う。1日のたんぱく質摂取量が40gの場合は治療用特殊食品を使うと、たんぱく質を減らすことができる（→p.173）。低たんぱくごはんの場合、たんぱく質が1g未満のものも。

ごはん（150g）

エネルギー	塩分	たんぱく質	カリウム	リン
234kcal	0.0g	3.0g	44mg	51mg

ほうれん草としめじのみそ汁

エネルギー	塩分	たんぱく質	カリウム	リン
24kcal	0.9g	1.7g	373mg	58mg

☑ みその量、汁の量を控える。また、だしを市販のものから手作りにかえれば、風味もよりよくなり、減塩でもおいしく食べられる。

ゆでキャベツのコールスローサラダ

エネルギー	塩分	たんぱく質	カリウム	リン
66kcal	0.2g	0.7g	98mg	21mg

☑ 和えものにすると、煮汁がないため塩分が減らせる。

☑ 野菜にも少量だが、たんぱく質は含まれる。できるだけたんぱく質が少ない野菜を選ぶ。

☑ キャベツにはカリウムが多く含まれている。カリウム制限がある人は、ゆでてから調理すると、カリウム量が抑えられる。

豚肉のしょうが焼き

エネルギー	塩分	たんぱく質	カリウム	リン
218kcal	0.7g	7.9g	243mg	100mg

☑ 漬けものは塩分が多めなので控えるか、副菜の一品として手作りにする。

☑ くだものやデザートは、エネルギー量が足りないときのエネルギーアップに使う。カリウムが多いくだものもあるので、カリウム制限がある人は、食べる量を抑える。

☑ 油を使って焼くことで、エネルギー量アップにつながる。

☑ たれは肉に漬け込まず、最後にからめることで減塩につながる。

☑ 肉や魚の量はこれまでの½量〜⅔量に減らす。

献立の立て方② 組み合わせ自在！レシピの選び方

適正エネルギー量とたんぱく質量、塩分量から、毎食食べられる量を算出すれば、あとは料理を選ぶだけで献立が作れます。

まずは1回の食事量を計算しましょう

❶ 1日の適正エネルギー摂取量（→p.20）を3等分する
- 1日1600kcalの場合 ➡ 1食 **500～600kcal**
- 1日1800kcalの場合 ➡ 1食 **600kcal** 前後

❷ たんぱく質の量（→p.21）もできるだけ均等に分ける
- 1日40gの場合 ➡ 1食 **13g** 前後
- 1日50gの場合 ➡ 1食 **16g** 前後
- 1日60gの場合 ➡ 1食 **20g** 前後

❸ 1食分の主食の量を覚える
- 1日1600kcalの場合 ➡ ごはんだと1食 **150g**
- 1日1800kcalの場合 ➡ ごはんだと1食 **200g**

\ 献立作りスタート！ /

1日1600kcal たんぱく質50g の場合

Step 1 主食を決める ［たんぱく質の目安／1食 **4～5**g］

ごはん
茶碗1杯150g
234kcal
塩分0.0g
たんぱく質3.0g

パン
食パンなら
8枚切り1枚50g
124kcal
塩分0.6g
たんぱく質3.7g

主食はたんぱく質4～5gを目安に、分量を固定します。ふつうのごはんなら茶碗1杯150g、食パンなら8枚切り1枚50gを基本にします。

うどん
ゆでうどん⅔玉160g
152kcal
塩分0.5g
たんぱく質3.7g

そば
ゆでそば½玉90g
117kcal
塩分0.0g
たんぱく質3.5g

●ごはんもの、麺類などを選ぶときは（→p.174～183）
［たんぱく質の目安／1食 **10～13**g］
主食＋主菜（ときには＋副菜）と考え、副菜や汁ものを1品プラスする。

主食の分量を決めておけば献立を作りやすい

20ページで1日の適正エネルギー摂取量がわかったら、それを3食に分けます。1日1～2食だと同じエネルギー量でも肥満になりやすいので、3食とりましょう。次に、塩分やたんぱく質を3食にふり分けます。

献立は、エネルギー源となる主食（炭水化物）、体を作る主菜（たんぱく質）、体の調子を整える副菜（ビタミンやミネラルなど）を組み合わせるのが基本。たんぱく質の量を抑えるとエネルギーが不足しがちになるので、主食の量はできるだけ一定にするのがよいでしょう。また主菜は肉、魚、大豆製にならないよう、肉、魚、大豆製

Step 2 | 主菜を選ぶ（→p.46〜123）［たんぱく質の目安／1食 8〜10g］

肉
牛肉なら、もも肉や薄切り肉、こま切れ肉などを、豚肉ならヒレ肉やもも肉、ロース肉を、鶏肉ならもも肉やむね肉を選ぶ。

魚介
あじ、いわし、ぶり、さば、かつおなど青背魚を中心に選ぶ。白身魚やえび、いかなどもおすすめ。

大豆製品
木綿豆腐、絹ごし豆腐、厚揚げ、油揚げなど、大豆から作られた食品。

卵
鶏卵の料理には良質なたんぱく質が含まれている。

肉、魚介、大豆製品、卵から1品選びます。肉ばかり、魚ばかり選ぶのではなく、バランスよく選んで。

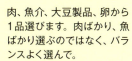

Step 3 | 副菜と汁ものを選び、デザートを追加する

副菜（→p.128〜167）
たんぱく質は控えめに
たんぱく質は主食や主菜でとり、副菜では栄養バランスやエネルギーの確保を意識する。

汁もの（→p.168〜170）
塩分オーバーなら、なくても
主菜と副菜の塩分が2gを超える場合は、汁ものは控える。煮汁がある主菜や副菜なら汁もの不要。

デザート（→p.192〜199）
足りないエネルギーを補う
たんぱく質や塩分をほとんど含まないデザートで、エネルギー量を確保する。

1日にとってよい栄養成分量の残りに合わせて副菜と汁ものを選び、デザートを追加します。

1日1600kcal／たんぱく質50gの場合の例
［1食の目安　500〜600kcal／たんぱく質16g／塩分2g］

Step1
1食の目安から主食の栄養成分を引く
→ごはん150g

主食の栄養成分
エネルギー	550	−	234	= **316** kcal
塩分	2.0	−	0	= **2.0** g
たんぱく質	16.0	−	3.0	= **13.0** g

Step2
主菜を選び、その栄養成分を引く
→豆腐のベーコン巻き焼き（→p.102）

主菜の栄養成分
エネルギー	316	−	205	= **111** kcal
塩分	2.0	−	0.7	= **1.3** g
たんぱく質	13.0	−	9.3	= **3.7** g

Step3
副菜を選び、その栄養成分を引く
→にんじんの甘煮（→p.133）

副菜の栄養成分
エネルギー	111	−	30	= **81** kcal
塩分	1.3	−	0.6	= **0.7** g
たんぱく質	3.7	−	0.5	= **3.2** g

汁ものを選び、その栄養成分を引く
→キャベツとコーンのミルクスープ（→p.169）

汁ものの栄養成分
エネルギー	81	−	51	= **30** kcal*
塩分	0.7	−	0.5	= **0.2** g*
たんぱく質	3.2	−	2.2	= **1.0** g*

＊最後の数字が0に近いほど理想的。多少の誤差は前後の食事で調整し、1日の食事のなかで収まるようにしましょう。

主食、主菜、副菜1〜2品、卵からバランスよく選びます。1食分のたんぱく質量から主食分を引き、残りを主菜と副菜1〜2品、汁ものからとります。エネルギー量が足りないようなら、デザートを追加するとよいでしょう。

> 組み合わせの
> コツがわかる

１週間の献立例

本書のレシピを組み合わせた１週間分の献立を紹介します。
献立は朝食、昼食、夕食に分けてありますが、１日の中であれば、入れ替えてもOK。
エネルギーが足りない日はおやつで補ってもよいでしょう。

献立のポイント

１日の 摂取エネルギー を 1600kcal 前後に

１日の適正エネルギー摂取量が1600kcalの場合を想定し、１食のエネルギー量を500〜600kcal前後にしています。多少の誤差は前後の食事で調整し、１日の食事のなかで収まるようにしましょう。**1800kcalの人はごはんを200gに。**

塩分 は１献立 2g前後

慢性腎臓病の患者さんの場合、１日の塩分摂取量は6g未満が目標なので、１献立の塩分は2g前後にしています。１献立の塩分が2gを少し超えてしまっても、３食で6g未満になれば問題ありません。

たんぱく質 は １日50gに調整

１日のたんぱく質摂取量が50gの場合を想定し、１食のたんぱく質量を16〜17g前後にしています。"昼食ではたんぱく質を多め"というような場合は、夕食でたんぱく質量を調整しています。**60gの場合**は摂取エネルギーの範囲内で主菜の量を少し増やしたり、**副菜を１品増やします。40gの場合は、ごはんを治療用特殊食品（→p.173）にかえます。**

日曜日　エネルギーが足りないときはおやつで補給

１日の献立の栄養成分	エネルギー	塩分	たんぱく質	カリウム	リン
	1582kcal	6.3g	43.2g	2200mg	661mg

朝食 ➡

[主食]
クロワッサンサンド
→ p.180

[副菜]
ごぼうのマリネ
→ p.159

[汁もの]
にんじん、たまねぎ、絹さやのコンソメスープ
→ p.170

▼この献立の栄養成分

エネルギー	塩分	たんぱく質	カリウム	リン
467kcal	2.0g	10.3g	553mg	158mg

昼食 ➡

[主食]
五目焼きそば
→ p.183

[副菜]
春菊のごま和え
→ p.128

[副菜]
たまねぎのから揚げ
→ p.149

▼この献立の栄養成分

エネルギー	塩分	たんぱく質	カリウム	リン
486kcal	2.3g	15.8g	851mg	242mg

おやつ

りんごのレンジコンポートクリームチーズ和え
→ p.196

▼おやつの栄養成分

エネルギー	塩分	たんぱく質	カリウム	リン
163kcal	0.1g	1.7g	166mg	32mg

夕食

[主菜]
ユーリンチーねぎソース
→ p.66

[副菜]
たまねぎの煮びたし
→ p.148

[副菜]
にんじんのヨーグルトみそ漬け
→ p.156

[主食]
ごはん（150g）

▼この献立の栄養成分

エネルギー	塩分	たんぱく質	カリウム	リン
466kcal	1.9g	15.4g	630mg	229mg

月曜日
1日の食事で卵・肉・魚をバランスよくとる

1日の献立の栄養成分 エネルギー 1544kcal ／ 塩分 5.6g ／ たんぱく質 36.0g ／ カリウム 1864mg ／ リン 664mg

朝食

［主菜］アンチョビ風味のスクランブルエッグ → p.121

［副菜］ザワークラウト風キャベツ → p.157

［汁もの］春雨と大根、にんじんのすまし汁 → p.170

［主食］ごはん（150g）

▼この献立の栄養成分
エネルギー 451kcal ／ 塩分 2.0g ／ たんぱく質 10.5g ／ カリウム 419mg ／ リン 188mg

昼食

［主菜］肉じゃが → p.65

［副菜］もやしののり和え → p.147

［副菜］たたききゅうり → p.155

［主食］ごはん（150g）

▼この献立の栄養成分
エネルギー 627kcal ／ 塩分 1.6g ／ たんぱく質 12.7g ／ カリウム 708mg ／ リン 225mg

夕食

［主菜］かじきのマリネ → p.85

［副菜］たまねぎと水菜のサラダ → p.148

［副菜］ごぼうのトマト煮 → p.158

［主食］ごはん（150g）

▼この献立の栄養成分
エネルギー 466kcal ／ 塩分 2.0g ／ たんぱく質 12.8g ／ カリウム 737mg ／ リン 251mg

---

火曜日
朝食がパンのときはおやつでエネルギーアップ

1日の献立の栄養成分 エネルギー 1583kcal ／ 塩分 6.1g ／ たんぱく質 42.2g ／ カリウム 1694mg ／ リン 684mg

朝食

［主食］米粉パンのフレンチトースト → p.180

［副菜］ブロッコリーのチーズ炒め → p.139

［副菜］白菜のレモン風味漬け → p.145

▼この献立の栄養成分
エネルギー 368kcal ／ 塩分 1.6g ／ たんぱく質 13.6g ／ カリウム 506mg ／ リン 219mg

昼食

［定食］鶏のから揚げ定食 → p.32

▼この献立の栄養成分
エネルギー 542kcal ／ 塩分 1.9g ／ たんぱく質 15.4g ／ カリウム 521mg ／ リン 221mg

おやつ

洋なし缶のババロア風 → p.192

▼おやつの栄養成分
エネルギー 206kcal ／ 塩分 0.0g ／ たんぱく質 2.7g ／ カリウム 74mg ／ リン 26mg

夕食

［主菜］カキのみそ鍋 → p.97

［副菜］なすの甘酢マリネ → p.154

［副菜］ちぎりこんにゃくのこしょう炒め → p.162

［主食］ごはん（150g）

▼この献立の栄養成分
エネルギー 467kcal ／ 塩分 2.6g ／ たんぱく質 10.5g ／ カリウム 593mg ／ リン 218mg

水曜日 卵や大豆製品も使って バランスよく

1日の献立の栄養成分
エネルギー	塩分	たんぱく質	カリウム	リン
1628kcal	5.1g	40.6g	1868mg	760mg

朝食 → 昼食 → 夕食

[主菜] 温野菜の温玉サラダ → p.119

[副菜] にんじんの甘煮 → p.133

[副菜] たまねぎのから揚げ → p.149

[主食] ごはん（150g）

▼この献立の栄養成分
エネルギー	塩分	たんぱく質	カリウム	リン
483kcal	1.9g	11.4g	699mg	229mg

[主菜] 厚揚げのクリーム煮 → p.111

[副菜] ピーマンのきんぴら → p.137

[副菜] たたききゅうり → p.155

[主食] ごはん（150g）

▼この献立の栄養成分
エネルギー	塩分	たんぱく質	カリウム	リン
594kcal	1.1g	15.4g	540mg	296mg

[主菜] 牛肉とにんじんのケチャップ煮 → p.52

[副菜] キャベツのしらす和え → p.142

[副菜] きゅうりのクミン炒め → p.155

[主食] ごはん（150g）

▼この献立の栄養成分
エネルギー	塩分	たんぱく質	カリウム	リン
551kcal	2.1g	13.8g	629mg	235mg

木曜日 朝食と昼食をしっかり とったら夕食は軽めに

1日の献立の栄養成分
エネルギー	塩分	たんぱく質	カリウム	リン
1536kcal	4.8g	42.4g	2003mg	744mg

朝食 → 昼食 → 夕食

[主菜] 豆腐のベーコン巻き焼き → p.102

[副菜] にんじんの甘煮 → p.133

[汁もの] キャベツとコーンのミルクスープ → p.169

[主食] ごはん（150g）

▼この献立の栄養成分
エネルギー	塩分	たんぱく質	カリウム	リン
520kcal	1.8g	15.0g	532mg	271mg

[主菜] 牛肉とごぼうのしぐれ煮 → p.55

[副菜] ブロッコリーとフライドオニオンのサラダ → p.139

[副菜] 白菜のマヨネーズ和え → p.144

[主食] ごはん（150g）

▼この献立の栄養成分
エネルギー	塩分	たんぱく質	カリウム	リン
539kcal	1.5g	13.3g	743mg	243mg

[主菜] たいの中華蒸しごま油がけ → p.89

[副菜] キャロットラペ → p.132

[副菜] かぶのゆずこしょう和え → p.153

[主食] ごはん（150g）

▼この献立の栄養成分
エネルギー	塩分	たんぱく質	カリウム	リン
477kcal	1.5g	14.1g	728mg	230mg

金曜日 お出かけの日のランチはお弁当で軽めに

1日の献立の栄養成分 エネルギー 1588kcal ／ 塩分 3.7g ／ たんぱく質 38.9g ／ カリウム 1618mg ／ リン 684mg

朝食 ➡ 昼食 ➡ 夕食

朝食

[主菜] 厚揚げのポン酢炒め → p.109

[副菜] ピーマンの焼きびたし → p.136

[汁もの] かぶのすりながし → p.169

[主食] ごはん（150g）

▼この献立の栄養成分
エネルギー 519kcal ／ 塩分 1.4g ／ たんぱく質 15.2g ／ カリウム 588mg ／ リン 261mg

昼食

[お弁当] タンドリーチキン弁当 → p.184

▼この献立の栄養成分
エネルギー 436kcal ／ 塩分 1.2g ／ たんぱく質 11.8g ／ カリウム 428mg ／ リン 178mg

夕食

[主菜] いかのアヒージョ → p.91

[副菜] ミニトマトのはちみつ漬け → p.135

[副菜] キャベツとコーンのサラダ → p.142

[主食] ごはん（150g）

▼この献立の栄養成分
エネルギー 633kcal ／ 塩分 1.1g ／ たんぱく質 11.9g ／ カリウム 602mg ／ リン 245mg

---

土曜日 休日ランチに麺を食べるなら朝夕はごはんに

1日の献立の栄養成分 エネルギー 1571kcal ／ 塩分 5.7g ／ たんぱく質 42.4g ／ カリウム 2027mg ／ リン 702mg

朝食 ➡ 昼食 ➡ 夕食

朝食

[主菜] 豆腐チャンプルー → p.99

[副菜] ささがきごぼうと三つ葉のごま和え → p.158

[汁もの] 春雨と大根、にんじんのすまし汁 → p.170

[主食] ごはん（150g）

▼この献立の栄養成分
エネルギー 510kcal ／ 塩分 1.8g ／ たんぱく質 14.6g ／ カリウム 541mg ／ リン 248mg

昼食

[主食] 鶏肉のフォー → p.182

[副菜] 大根のしそ和え → p.151

[副菜] かぶの葉のごま和え → p.152

▼この献立の栄養成分
エネルギー 284kcal ／ 塩分 2.4g ／ たんぱく質 10.4g ／ カリウム 606mg ／ リン 139mg

おやつ タピオカのココナッツミルク仕立て → p.197

▼おやつの栄養成分
エネルギー 218kcal ／ 塩分 0.0g ／ たんぱく質 1.1g ／ カリウム 127mg ／ リン 37mg

夕食

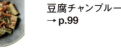

[定食] あじフライ定食 → p.38

▼この献立の栄養成分
エネルギー 559kcal ／ 塩分 1.5g ／ たんぱく質 16.3g ／ カリウム 753mg ／ リン 278mg

毎日、食事日記をつけよう

腎臓病の食事療法を実践するには、毎日の食事を記録することが大切です。
改善点が見え、調整しやすくなります。

できるだけ細かく書く

各食材の量（g）はもちろん、みそ汁の具材、コーヒーの砂糖の有無などまで、できるだけ細かく書くことで、改善点も見えやすくなる。

食事日記の例

食事ごとにまとめる

月　　日（　）　体重　　　kg

	メニュー	材料名	量(g)	エネルギー(kcal)	食塩(g)	たんぱく質(g)
朝食	クロワッサンサンド	クロワッサン	50			
		かぼちゃ	50			
		きゅうり	25			
		ツナ油漬け缶	35			
		マヨネーズ	大さじ1/2			
		粒マスタード	小さじ1/2			
		小計				
昼食						
		小計				
夕食						
		小計				
おやつ						
		小計				
1日の合計						

わかる範囲内で書く

エネルギーや塩分、たんぱく質量は、わかる範囲内で書く。

食べなかったときも書く

もし食事をとらないときがあったら、"なし"などと書く。おやつを食べたり、お酒を飲んだりしたときは、それも明記する。

ここをチェック

- □ 食事のメニューに偏りはないか
- □ 野菜は食べているか
- □ 外食は週に何回くらいか
- □ 食事以外に食べている量はどれくらいか
- □ 食事の量は日によってどれくらい違うか
- □ 塩分の多いものを食べすぎていないか
- □ お酒を飲みすぎていないか
- □ エネルギー量をとりすぎていないか

毎日の食事を記録すると改善点が見えてくる

腎臓病の食事療法を適切に実践するには、毎日の食事内容を具体的に把握して、計画的に食事をとること。

まずは、計画的に食事をとること。1週間分の食事をメモし、食生活をふり返ってみましょう。"肉ばかり食べている"など、問題点が見つかるはずです。体重の変化にも気をつけてください。肥満があれば標準体重まで減らすことは必要ですが、肥満がないのであれば、むしろ体重を維持することが重要です。食事療法を食事制限と勘違いして、体重を減らすことがないように。食事制限のために体力が低下し、寿命を縮めることがあってはなりません。

問題点が見えてきたら、毎日「食事日記」をつけます（上記）。食事の材料名、分量、エネルギーや塩分、たんぱく質などの栄養成分*もわかる範囲内で記録すると、食事計画が立てられます。

*エネルギーなどの栄養成分は、文部科学省「食品成分データベース（https://fooddb.mext.go.jp/）」で調べられる。

Part 2

作り方が写真でわかるから、初心者でも簡単!
献立レシピ

食事療法は始めたい。でも、食べたいものを我慢するのはつらい。
そこで、定番の人気メニューを減塩&低たんぱく質にアレンジしました。
献立をマネするだけで、塩分・たんぱく質量をコントロールできます。

【INDEX】
- 鶏のから揚げ定食…p.32
- 豚肉のしょうが焼き定食…p.34
- 鶏の照り焼き定食…p.36
- あじフライ定食…p.38
- さわらの西京焼き風定食…p.40
- コラム　基本のだしのとり方…p.42

あじフライ定食 (p.38)

鶏の照り焼き定食 (p.36)

切り方を工夫して減塩でもしっかり味

鶏のから揚げ定食

▼この献立の栄養成分

エネルギー	塩分	たんぱく質	カリウム	リン
542kcal	1.9g	15.4g	521mg	221mg

クリームコーンスープ

パプリカの甘酢漬け

鶏のから揚げ

32

献立｜鶏のから揚げ定食

主菜
鶏のから揚げ

材料（1人分）

鶏もも肉（皮つき）		60g
A	しょうゆ	小さじ½
	酒	小さじ¼
	しょうが汁	少々
	おろしにんにく	少々
片栗粉		適量
揚げ油		適量
フリルレタス		10g（小2枚）

作り方[調理時間15分]

1. **鶏肉を切る**
   鶏肉は、そぎ切りにする。
2. **もみ込む**
   Aに1をもみ込んで5分間漬けておく。
3. **揚げる**
   2の鶏肉の汁けを拭いてまんべんなく片栗粉をまぶし、170度の油で、肉に火が通るまで揚げる。
4. **盛る**
   3を器に盛り、フリルレタスを添える。

減塩のコツ❶
切り口の面積を大きく
そぎ切り（→p.37）にすると切り口の面積が広くなって短時間で火が通り、味もしみ込みやすく。

減塩のコツ❷
下味をもみ込む
もみ込むことで、少量の調味料でも下味がしっかりとつきます。

エネルギー	塩分	たんぱく質	カリウム	リン
205kcal	0.6g	10.5g	242mg	114mg

エネルギーアップのコツ

鶏肉は皮をつけたまま使う
鶏肉は、牛肉や豚肉と比べてたんぱく質量はあまりかわらないのにエネルギー量が少ないのが特徴。皮をつけたまま使うことで、エネルギーアップになります。

副菜
パプリカの甘酢漬け

作りおき 冷蔵で4～5日間

材料（1人分）

パプリカ（赤・黄）	20g（各⅙個）
すし酢	小さじ1

作り方[調理時間10分]

1. パプリカを横1cm幅に切り、さっとゆでる。
2. 1が熱いうちに、すし酢に入れて粗熱がとれるまでなじませる。

エネルギー	塩分	たんぱく質	カリウム	リン
19kcal	0.3g	0.3g	83mg	9mg

汁もの
クリームコーンスープ

材料（1人分）

クリームコーン	½カップ
水	¼カップ
顆粒コンソメ	小さじ¼
粗びきこしょう	少々

作り方[調理時間5分]

1. クリームコーン、水、コンソメを鍋に入れて温める。
2. 器に盛り、粗びきこしょうをふる。

エネルギー	塩分	たんぱく質	カリウム	リン
84kcal	1.0g	1.6g	152mg	47mg

主食 （1人分）
ごはん　150g

エネルギー	塩分	たんぱく質	カリウム	リン
234kcal	0.0g	3.0g	44mg	51mg

たんぱく質の摂取量が1日40gの人は、同量の「治療用特殊食品」（→p.173）にかえる。

「かけだれ」にすれば減塩&時短

豚肉のしょうが焼き定食

▼この献立の栄養成分

エネルギー	塩分	たんぱく質	カリウム	リン
542kcal	1.8g	13.3g	758mg	230mg

ゆでキャベツのコールスローサラダ

ほうれん草としめじのみそ汁

豚肉のしょうが焼き

献立｜豚肉のしょうが焼き定食

主菜
豚肉のしょうが焼き

材料（1人分）

豚肩ロース肉	50g（2枚）
片栗粉	少々
A 酒	大さじ½
しょうゆ	大さじ¼
しょうが汁	小さじ½
だし汁（とり方はp.42参照）	大さじ2
いんげん	7g（1本）
ごま油	小さじ2
ミニトマト	10g（1個）

作り方[調理時間20分]

1. **片栗粉をつける**
   豚肉に、片栗粉をまんべんなくつける。
2. **調味液に火を通す**
   小さいフライパンにAを入れ、ふつふつするまで火を通す。
3. **いんげんをゆでる**
   いんげんは3〜4cm長さに切り、さっとゆでる。
4. **焼く**
   フライパンにごま油を熱し、豚肉を両面とも焼き色がつくまで中火で焼く。2に焼いた肉を加えてからめる。
5. **盛る**
   半分に切ったミニトマト、3、4を器に盛りつける。

減塩のコツ❶
とろみをつけて味をからみやすく
肉の表面についた粉が調味料を吸うので、少量でもしっかり味がからみます。

減塩のコツ❷
かけだれにすると少しの調味料でOK
たれに漬け込んで焼くのではなく、焼いた肉に火を通したたれをかければ、少量でもしっかり味がつく。

エネルギー	塩分	たんぱく質	カリウム	リン
218kcal	0.7g	7.9g	243mg	100mg

副菜
ゆでキャベツのコールスローサラダ

材料（1人分）

キャベツ	40g（大⅔枚）
にんじん	5g（0.5cm）
マヨネーズ	小さじ2
粒マスタード	小さじ¼

作り方[調理時間10分]

1. キャベツとにんじんは、それぞれせん切りにする。
2. キャベツ、にんじんはゆでて水けをきって冷まし、マヨネーズ、粒マスタードで和える。

エネルギー	塩分	たんぱく質	カリウム	リン
66kcal	0.2g	0.7g	98mg	21mg

汁もの
ほうれん草としめじのみそ汁

材料（1人分）

ほうれん草	30g（1株）
しめじ	20g（小¼パック）
だし汁（とり方はp.42参照）	110mL
みそ	小さじ1

作り方[調理時間10分]

1. ほうれん草はゆでて、2cm長さに切る。しめじは、食べやすい大きさにほぐす。
2. 鍋にだし汁を入れて温め、ほうれん草、しめじを加え、みそを溶き入れる。

エネルギー	塩分	たんぱく質	カリウム	リン
24kcal	0.9g	1.7g	373mg	58mg

主食 （1人分）
ごはん　150g

エネルギー	塩分	たんぱく質	カリウム	リン
234kcal	0.0g	3.0g	44mg	51mg

たんぱく質の摂取量が1日40gの人は、同量の「治療用特殊食品」（→p.173）にかえる。

鶏肉はそぎ切りにして、見ためのボリュームアップ!

鶏の照り焼き定食

▼この献立の栄養成分

エネルギー	塩分	たんぱく質	カリウム	リン
474kcal	1.6g	15.4g	710mg	225mg

じゃがいもと
ねぎのみそ汁

大根とにんじんの
酢の物

鶏の照り焼き

献立：鶏の照り焼き定食

主菜

鶏の照り焼き

材料（1人分）

鶏もも肉（皮つき）	60 g
A みりん・しょうゆ・酒	各小さじ½
しし唐	18 g（3本）
片栗粉	少々
サラダ油	小さじ1

ボリュームアップのコツ

切り口の面積を大きくする
そぎ切りは包丁の刃を寝かせて、手前に引くように切る方法。見ためのボリュームが増す。鶏肉やしいたけなど、厚みがあるものを切るときに。

作り方［調理時間20分］

1. **なじませる**
鶏肉にAをなじませて10分置く。汁けをきり、漬け汁はとっておく。しし唐は、破裂しないように切れ目を入れる。

2. **焼く**
鶏肉に片栗粉をまぶす。フライパンに中火で油を熱し、鶏肉としし唐を焼く。鶏肉を両面焼いたら、しし唐を取り出す。ふたをして蒸し焼きにして、中まで火を通す。鶏肉に**1**の残りの漬け汁をからめる。

3. **盛る**
焼いた鶏肉はそぎ切りにして器に盛り、しし唐を添える。

減塩のコツ

調味液に漬けることで鶏肉に味が入る
塩分控えめの調味液でも、10分間漬けてなじませることで鶏肉に味がしっかり入ります。

エネルギー	塩分	たんぱく質	カリウム	リン
182kcal	0.6g	10.6g	249mg	116mg

副菜

大根とにんじんの酢のもの

材料（1人分）

大根	40 g（1cm）
にんじん	10 g（1cm）
A 酢	小さじ½強
塩	0.1 g
砂糖	小さじ⅓
しょうが汁	少々

作り方［調理時間10分］

1. 大根とにんじんは、それぞれせん切りにする。
2. 大根とにんじんは、それぞれゆでて、水けをよくきる。
3. よく混ぜたAと和える。

エネルギー	塩分	たんぱく質	カリウム	リン
14kcal	0.1g	0.2g	121mg	9mg

汁もの

じゃがいもとねぎのみそ汁

材料（1人分）

じゃがいも	40 g（大¼個）
長ねぎ	20 g（10cm）
だし汁（とり方はp.42参照）	110mL
みそ	小さじ1

作り方［調理時間15分］

1. じゃがいもは、いちょう切りにし、やわらかくなるまでゆでる。
2. ねぎは小口切りにする。
3. 鍋にだし汁を入れて温め、じゃがいもとねぎを加え、みそを溶き入れる。

エネルギー	塩分	たんぱく質	カリウム	リン
44kcal	0.9g	1.6g	296mg	49mg

主食（1人分）

ごはん 150g

エネルギー	塩分	たんぱく質	カリウム	リン
234kcal	0.0g	3.0g	44mg	51mg

たんぱく質の摂取量が1日40gの人は、同量の「治療用特殊食品」（→p.173）にかえる。

衣をつけて揚げることでボリューム&エネルギーアップ

あじフライ定食

▼この献立の栄養成分

エネルギー	塩分	たんぱく質	カリウム	リン
559kcal	1.5g	16.3g	753mg	278mg

白菜のスープ

かぼちゃのサラダ

あじフライ

献立｜あじフライ定食

主菜
あじフライ

材料（1人分）
- あじ（3枚おろし） …… 60g（½尾）
- 水溶き小麦粉
  - 水 ………………… 小さじ1
  - 小麦粉 …………… 小さじ½
- パン粉（目の細かいもの）‥ 15g
- ブロッコリー ………… 30g（1房）
- 揚げ油 ………………… 適量
- 中濃ソース …………… 小さじ1

作り方［調理時間15分］
1. **下準備する**
   あじに水溶き小麦粉、パン粉の順に衣をつける。ブロッコリーは小房に分けて、ゆでる。
2. **揚げる**
   1のあじを、170度の油でカラッと揚げる。
3. **盛る**
   油をきったあじとブロッコリーを器に盛り、ソースをかける。

減たんぱく質のコツ❶

小麦粉は、はたかず水で溶いて塗る
小麦粉は水で溶いて、スプーンで塗ります。こうすると小麦粉が少なくても全体にいきわたります。

減たんぱく質のコツ❷

パン粉は細かいほうが衣がつく量を減らせる
パン粉は目の細かいものを使うと衣のつく量を減らせます。パン粉が少なくなるぶん、たんぱく質の量も少なく。

エネルギー	塩分	たんぱく質	カリウム	リン
229kcal	0.6g	12.0g	378mg	180mg

副菜
かぼちゃのサラダ

材料（1人分）
- かぼちゃ ……………… 50g（くし形2cm分）
- たまねぎ ……………… 20g（⅒個）
- A｜マヨネーズ ……… 大さじ½
  ｜練りがらし ……… 小さじ⅛

作り方［調理時間15分］
1. かぼちゃはやわらかくなるまでゆでて、つぶす。
2. たまねぎは薄切りにして、かぼちゃがゆであがるまで水にさらしておく。
3. かぼちゃと水けをきったたまねぎを合わせ、Aで和える。

エネルギー	塩分	たんぱく質	カリウム	リン
88kcal	0.2g	0.9g	258mg	33mg

汁もの
白菜のスープ

材料（1人分）
- 白菜 …………………… 30g（葉大⅓枚）
- 水 ……………………… 110mL
- 顆粒コンソメ ………… 小さじ⅓
- カットわかめ ………… 1g
- 粗びきこしょう ……… 少々

作り方［調理時間10分］
1. 白菜はざく切りにする。
2. 鍋に水、コンソメを煮立て、白菜、わかめを加える。
3. 白菜がやわらかくなったら、粗びきこしょうをふる。

エネルギー	塩分	たんぱく質	カリウム	リン
8kcal	0.7g	0.4g	73mg	14mg

主食（1人分）
ごはん 150g

エネルギー	塩分	たんぱく質	カリウム	リン
234kcal	0.0g	3.0g	44mg	51mg

たんぱく質の摂取量が1日40gの人は、同量の「治療用特殊食品」（→p.173）にかえる。

献立｜さわらの西京焼き風定食

主菜

さわらの西京焼き風

材料（1人分）

- さわら …………… 60g
- A｜みそ・ヨーグルト … 各小さじ½
- 青しそ …………… 1g（1枚）

作り方［調理時間10分（なじませる時間除く）］

1. **切る**
   さわらは、2等分のそぎ切りにする。
2. **みそだれをつける**
   ラップにさわらをのせ、よく混ぜ合わせたAをつける。ラップでさわらをぴったり包み、3時間以上なじませる。
3. **焼く**
   さわらをラップから出し、みそだれをさっと拭いてアルミホイルでふんわり包み、魚焼きグリルで中火で7～8分ほど焼く。
4. **盛る**
   器にしそを添えて、盛る。

減塩のコツ
たれは漬け込まずに塗る
みそだれを魚に塗るようにつけ、ラップでぴったりと包むと、少ない調味料でも味がしみ込みやすく、作りおくことも可能（冷蔵で2日、冷凍で2週間）。

時短のコツ
ホイルで包みグリル焼き
アルミホイルで包んで焼くと、火が通るのが早く、みそだれが焦げにくい。魚がグリルの下に落ちる心配もない。

エネルギー	塩分	たんぱく質	カリウム	リン
102kcal	0.4g	11.2g	312mg	139mg

副菜

揚げなすのポン酢和え

材料（1人分）

- なす …………… 40g（½本）
- パプリカ（赤） …… 15g（⅛個）
- A｜ポン酢しょうゆ・だし汁 …… 各小さじ1
- 揚げ油 ………… 適量

作り方［調理時間15分］

1. なすは斜めに細かく切れ目を入れ、ひと口大に切る。パプリカは1.5cm幅に切る。
2. Aを混ぜ合わせておく。
3. なす、パプリカを150度の揚げ油で素揚げする。油をきり、熱いうちにAに漬ける。

エネルギー	塩分	たんぱく質	カリウム	リン
78kcal	0.5g	0.6g	133mg	20mg

汁もの

しいたけと三つ葉のすまし汁

材料（1人分）

- しいたけ ………… 10g（小1枚）
- 三つ葉 …………… 3g（2本）
- だし汁（とり方はp.42参照）… 110mL
- 塩 ………………… 0.2g
- しょうゆ ………… 小さじ½弱

作り方［調理時間5分］

1. しいたけは薄切りに、三つ葉はざく切りにする。
2. 鍋にだし汁を入れて温め、しいたけ、三つ葉を加え、塩、しょうゆで味を調える。

エネルギー	塩分	たんぱく質	カリウム	リン
7kcal	0.7g	0.6g	124mg	29mg

主食

ごはん 150g（1人分）

エネルギー	塩分	たんぱく質	カリウム	リン
234kcal	0.0g	3.0g	44mg	51mg

たんぱく質の摂取量が1日40gの人は、同量の「治療用特殊食品」（→p.173）にかえる。

基本のだしのとり方

材料（作りやすい分量／600mL分）
水 ……………… 4カップ
昆布 …………… 12g
削り節 ………… 12g

減塩の強い味方「だし」。
スープや煮もの、煮びたしなど、さまざまな料理に使えます。

1 昆布はかわいたふきんで表面を軽く拭く。鍋に水とともに入れ、弱火にかける。

2 沸騰直前に、昆布を取り出す。

3 2が煮立ったら、削り節を一度に加える。

4 削り節を箸でしずめ、火を止める。

5 ざるなどで、削り節を濾す。

できあがり

＼600mLに対して塩分は0.6g／

エネルギー	塩分	たんぱく質	カリウム	リン
12kcal	0.6g	1.2g	378mg	78mg

（600mLあたり）

Part 3

塩分&たんぱく質が少なめでも大満足!
主菜レシピ

ステーキや焼肉などの簡単に作れるごちそうメニューから、
煮魚、茶碗蒸しなどの和食メニューまで、食材別に72レシピをご紹介。
ソースや調理法をかえるだけで簡単に作れるアレンジレシピも参考に。

【INDEX】
- **肉のおかず**…p.46〜73
- **魚介のおかず**…p.74〜95
- **大豆のおかず**…p.98〜115
- **卵のおかず**…p.116〜123

コラム
- 具だくさん鍋…p.96〜97
- いろいろな料理に使える ソース・ドレッシング…p.124

鮭の竜田揚げ(p.74)

ミートボールのトマト煮(p.72)

だし巻き卵(p.121)

あさり入り炒り豆腐(p.104)

主菜で使う**メイン食材**の選び方

主菜では、たんぱく質を多く含む肉や魚、大豆製品、卵をメインに使います。
1食でとれるたんぱく質の量は決まっているので、できるだけ腎臓によい食材を選びましょう。

1 **良質なたんぱく質**を選ぶ

たんぱく質は三大栄養素のひとつ。アミノ酸という栄養素が組み合わさってできていて、体のあらゆる部分を作る材料になります。そのうち、体内で作られないものを必須アミノ酸といい、これらは食事でとらなくてはいけません。この必須アミノ酸をバランスよく含む良質なたんぱく質ほど、アミノ酸スコアが高くなります（右表参照）。

たんぱく質には植物性たんぱく質と動物性たんぱく質がありますが、一般的にアミノ酸スコアが高いのは、肉や魚などの動物性たんぱく質です。

腎臓病の食事療法ではたんぱく質の摂取量が決まっているので、できるだけアミノ酸スコアの高い食材をとるように心がけましょう。

▶**主菜のメインはアミノ酸スコアが満点**

食品名	アミノ酸スコア
牛肉（サーロイン）	100
豚肉（ロース）	100
鶏肉（もも）	100
鶏卵	100
牛乳	100
さけ	100
さば	100
じゃがいも	68
さやいんげん	68
精白米	65
かぶ	45

2 **脂質量**と**たんぱく質量**で肉を選ぶ

肉は、種類や部位によって、エネルギー量だけでなく、たんぱく質量や脂質量が大幅に変わります。ヒレ肉やもも肉は脂身が少ないため腎臓にやさしいのですが、たんぱく質が多く含まれているので、食べられる量が少なめです。

バラ肉はエネルギー量が高いため、エネルギーアップには便利な食材で、たんぱく質量が少ないので多めに食べることができます。ただし、脂肪分も多いため、とりすぎると全身の血管を傷めて腎機能の低下を招いてしまいます。

どこかの部位にかたよることなく、調理法を工夫してバランスよく食べるのがよいでしょう。

▶**主な肉の脂質、たんぱく質、エネルギー量**

牛肉（和牛）

	ヒレ肉	もも肉	バラ肉
脂質量	10.1g	12.6g	37.3g
たんぱく質量	17.7g	16.0g	11.1g
エネルギー量	177kcal	196kcal	381kcal

豚肉

	ヒレ肉	もも肉	バラ肉
脂質量	3.3g	9.5g	34.9g
たんぱく質量	18.5g	16.9g	12.8g
エネルギー量	118kcal	171kcal	366kcal

いずれも100gあたり（「日本食品標準成分表2020年版（八訂）」より）

3 肉は**調理法**で不要な脂質を抑える

焼く
網焼きや蒸し焼きにすれば、調理時の油は必要ありません。網焼きなら肉の脂を落とせて、蒸し焼きなら肉のうまみを残すことができます。

ゆでる
肉をゆでることで余計な脂を落とせます。ただし、ゆですぎると肉がパサついておいしくなくなるため注意しましょう。

揚げる
衣をつけて揚げると、その分エネルギー量が増えてしまうので、摂取エネルギーを抑えたいときは素揚げにすればOK。エネルギーアップを狙う場合は、衣を薄くつけて揚げる調理法がおすすめ。

煮込む
煮込むと脂は落とせますが、味が入りすぎて塩分が高くなることも。煮込みすぎないように注意。

4 腎臓を守るためには**青背魚**を食べる

魚に含まれる脂は、EPA（エイコサペンタエン酸）とDHA（ドコサヘキサエン酸）という不飽和脂肪酸の一種です。==不飽和脂肪酸にはコレステロールを減らし、動脈硬化を予防して腎機能への悪影響を抑える働きがあります。==

特にあじやいわしなどの青背魚には、良質なたんぱく質とともに、EPAやDHAが多く含まれています。魚の脂は酸化しやすいため、できるだけ鮮度のいいうちに食べること。マリネなどにして加熱せずに食べると、含まれる成分を100％とることができます。

▶主な魚のEPAとDHA量

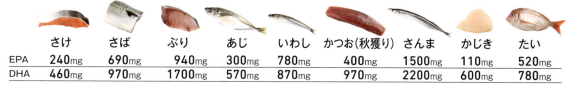

	さけ	さば	ぶり	あじ	いわし	かつお(秋獲り)	さんま	かじき	たい
EPA	240mg	690mg	940mg	300mg	780mg	400mg	1500mg	110mg	520mg
DHA	460mg	970mg	1700mg	570mg	870mg	970mg	2200mg	600mg	780mg

いずれも100gあたり（「日本食品標準成分表2020年版（八訂）」より）

5 良質なたんぱく質を含む**大豆製品**を1日1回食べる

大豆製品は良質なたんぱく質が多く、==不飽和脂肪酸やサポニン、レシチンなどコレステロールを下げる働きのある成分も多く含まれているため、腎臓の機能の維持に役立ちます。==

1日1回は、大豆製品を食べるのがよいでしょう。主菜でとれなくても、豆乳を飲む、納豆を1パック食べるなどで簡単にとることができます。

▶主な大豆製品のエネルギー量とたんぱく質量

	木綿豆腐	厚揚げ	油揚げ
たんぱく質量	6.7g	10.3g	23.0g
エネルギー量	73kcal	143kcal	377kcal

いずれも100gあたり（「日本食品標準成分表2020年版（八訂）」より）

ももは赤身の部分で、脂質が少なくたんぱく質が多いのが特徴。脂質のとりすぎは腎臓への負担を大きくするので、赤身の肉を選ぶのがよいでしょう。

牛もも肉

細切りにすることで少量の調味料でもしっかり味がつく
牛もも肉とたまねぎのガーリック炒め

材料（1人分）

牛もも肉	50g
たまねぎ	30g（1/6個）
オリーブ油	大さじ1/2
にんにく（みじん切り）	少々
塩	ミニスプーン1/2
粗びきこしょう	少々

エネルギー	塩分	たんぱく質	カリウム	リン
163kcal	0.6g	8.3g	216mg	101mg

作り方[調理時間10分]

1 切る
牛肉とたまねぎは、それぞれ1cm幅に切る。

2 焼く
フライパンにオリーブ油とにんにくを入れて弱火でにんにくが色づくまで炒める。たまねぎを加えて炒め、しんなりしたら牛肉を加えてさらに炒め、塩で味を調える。

3 盛る
器に盛り、粗びきこしょうをふる。

[おすすめの献立例]

にんじんの甘煮
→p.133

ミックスきのこのホイル焼き
→p.164

減塩のコツ

香味野菜を利用
にんにくを使い香りを出すことで、味のアクセントになります。塩の量は少なくてもにんにくの香りで、満足のおいしさに。

主菜｜肉のおかず（牛もも肉）

最後に味をなじませることで減塩でも味がしまる

チンジャオロースー

材料（1人分）

牛もも肉		50g
こしょう		少々
酒		小さじ1
片栗粉		小さじ½
ピーマン		15g（½個）
たけのこ（ゆで）		20g
サラダ油		小さじ2
A　オイスターソース		小さじ1
カレー粉		少々
酒		小さじ1

作り方［調理時間15分］

1　切る
牛肉は5mm幅の細切りにし、こしょう、酒、片栗粉をなじませる。ピーマンとたけのこもそれぞれ5〜7mm幅の細切りにする。

2　野菜を炒める
フライパンに油小さじ1を熱し、ピーマン、たけのこを炒め、取り出す。

3　肉を炒める
同じフライパンに残りの油小さじ1を熱して牛肉を炒める。火が通ったら2を戻し、合わせたAを加えて全体になじむように炒める。

エネルギー	塩分	たんぱく質	カリウム	リン
191kcal	0.7g	9.0g	320mg	115mg

［おすすめの献立例］

 かぶのカレーマヨサラダ → p.153

\+ もずく酢のサンラータン → p.168

アレンジ チンジャオロースーの材料で**味がえ**レシピ　　オイスターソースがなければ塩炒めに

牛肉、ピーマン、ゆでたけのこの塩炒め

作り方［調理時間15分］

フライパンにサラダ油（小さじ1）を熱し、ピーマン（15g）とたけのこ（20g）を炒め、取り出す。サラダ油（小さじ1）を熱し、牛もも肉（50g）を炒める。火が通ったら野菜を戻し、塩（ミニスプーン½）、こしょう（少々）で味を調える。

エネルギー	塩分	たんぱく質	カリウム	リン
183kcal	0.6g	8.6g	300mg	107mg

たれに漬け込むと減塩でもしっかりおいしい
牛もも肉のみそ漬け焼き

材料（1人分）

牛もも肉 …………… 50g
A｜みそ・ヨーグルト … 各小さじ½
サラダ油 …………… 小さじ1
しし唐 ……………… 21g（3本）

エネルギー	塩分	たんぱく質	カリウム	リン
144kcal	0.3g	8.6g	249mg	103mg

作り方 ［調理時間10分（なじませる時間除く）］

1 なじませる
牛肉と、よく混ぜたAをなじませ、2時間くらい置いておく。

2 穴をあける
しし唐には、数か所穴をあける。

3 焼く
フライパンに油を熱し、Aをぬぐった牛肉を両面焼く。しし唐も合わせて焼く。

4 盛る
牛肉は食べやすい大きさに切り、しし唐とともに器に盛る。

［おすすめの献立例］

＋ ザワークラウト風 → p.157

＋ ひじきとえのきの梅煮 → p.167

おいしく作るコツ

ヨーグルトが肉をやわらかジューシーに
ヨーグルトには、肉の繊維を分解する働きがあります。漬け込むことでやわらかくなり、焼くとジューシーに仕上がります。発酵食品のみそと合わせることで、よりやわらかくなります。

主菜 肉のおかず（牛もも肉）

焼いたあとにたれをからめれば、少量でもしっかり味に

焼き肉（たれ味）

材料（1人分）
牛もも肉 …………… 30g
牛カルビ肉 ………… 30g
長ねぎ ……………… 40g（20cm）
レタス ……………… 30g（1½枚）
サラダ油 …………… 小さじ1
焼き肉のたれ ……… 小さじ2

エネルギー	塩分	たんぱく質	カリウム	リン
246kcal	1.1g	9.1g	324mg	115mg

作り方［調理時間10分］

1 切る
牛もも肉、牛カルビ肉を、それぞれ食べやすい大きさに切る。ねぎはぶつ切りに、レタスは手でちぎる。

2 焼く
フライパンに油を熱し、ねぎと牛肉を焼く。ねぎは焼き目がついたら取り出し、牛肉に火が通ったら焼き肉のたれをからめる。

3 盛る
器に、レタスとともに盛りつける。

［おすすめの献立例］

 にんじんのナムル → p.133

 もずくと長いもの和えもの → p.167

アレンジ　焼き肉（たれ味）の材料で **味がえ** レシピ　　たれをかえてさらに減塩

焼き肉（おろしポン酢味）

エネルギー	塩分	たんぱく質	カリウム	リン
220kcal	0.5g	8.5g	282mg	99mg

作り方［調理時間10分］

フライパンにサラダ油（小さじ1）を熱し、牛もも肉（30g）、牛カルビ肉（30g）を焼く。牛肉に火が通ったら、ポン酢しょうゆ（小さじ1）と大根おろし（50g・1/20本）をからめる。

カレー粉を使って風味アップ！ 減塩でもしっかりおいしい
牛もも肉のカレーソテー

材料（1人分）

牛もも薄切り肉	………	50g
塩	………	ミニスプーン1/2
A｜カレー粉	………	ミニスプーン1/2
｜小麦粉	………	小さじ1
バター	………	小さじ1
ミニトマト	………	30g（3個）

エネルギー	塩分	たんぱく質	カリウム	リン
137kcal	0.7g	9.4g	285mg	112mg

作り方［調理時間10分］

1 味つけする
牛肉に塩をふり、混ぜたAをまぶす。

2 焼く
フライパンにバターを熱し、牛肉をソテーする。ミニトマトも一緒に焼く。

[おすすめの献立例]

+

大根のだし煮
→p.151

+

白菜の浅漬け
→p.156

エネルギーアップのコツ

肉はバターで焼く
バターを使って焼くことで、小さじ1（4g）で29kcalほどエネルギーがアップします。またその香りに食欲がそそられ、おいしさもアップ。バターには飽和脂肪酸も含まれるので、気になる方は、オリーブ油にかえても。

主菜 肉のおかず（牛もも肉）

粗塩をつけながら食べることで塩味が強く感じられる
牛もも肉のステーキ マッシュポテト添え

材料（1人分）

牛もも肉	50g
オリーブ油	小さじ1
にんにく（薄切り）	3枚
粗びきこしょう	少々
粗塩	少々
マッシュポテト（作りやすい分量／4人分）	
じゃがいも	135g（1個）
生クリーム	大さじ1
塩	ミニスプーン1/2
ナツメグ	少々

作り方［調理時間 **25**分］

1 焼く
フライパンにオリーブ油、にんにくを入れ、弱火でにんにくがきつね色になるまで焼いて取り出す。牛肉の両面を焼く。

2 マッシュポテトを作る
じゃがいもはゆでてつぶし*、生クリーム、塩、ナツメグを加える。

3 盛る
1の肉は食べやすい大きさに切って器に盛り、にんにくをのせる。粗びきこしょうをふり、粗塩を添える。マッシュポテトは1/4量を盛る。

エネルギー	塩分	たんぱく質	カリウム	リン
171kcal	0.5g	8.6g	315mg	112mg

＊カリウム制限がある場合は、じゃがいもは切ってからゆでてつぶす。

［おすすめの献立例］

+ しらたきとピーマンのチャプチェ → p.163

+ 大根のナムル → p.151

アレンジ 牛もも肉のステーキ マッシュポテト添えの材料で **味がえレシピ** レストラン風ソースでおいしく

牛もも肉のステーキ 赤ワインソース

エネルギー	塩分	たんぱく質	カリウム	リン
157kcal	0.5g	8.3g	214mg	100mg

作り方［調理時間 **25**分］

フライパンにオリーブ油（大さじ1/4）を熱し、みじん切りにしたたまねぎ（小さじ1）を炒め、赤ワイン（大さじ2）、しょうゆ（小さじ1/2）を加えて煮詰めてソースを作る。オリーブ油（大さじ1/4）を熱し、牛もも肉（50g）の両面を焼き、ソースをかける。

同じ量でも薄切りにしたほうがボリュームが出るため、薄切り肉はおすすめ食材。野菜を巻いたり、さっと焼いたりと、バリエーションが広がります。

牛薄切り肉

にんじんを細切りにすることで少量の調味料でも味がからみやすく

牛肉とにんじんのケチャップ煮

材料（1人分）

牛薄切り肉	50g
こしょう	少々
小麦粉	小さじ½
たまねぎ	30g（⅙個）
にんじん	20g（2cm）
オリーブ油	小さじ2
水	¼カップ
トマトケチャップ	大さじ1
しょうゆ・ウスターソース	各小さじ½
パセリ（みじん切り）	少々

エネルギー	塩分	たんぱく質	カリウム	リン
265kcal	1.3g	7.7g	318mg	97mg

作り方［調理時間15分］

1 下味をつける
牛肉にこしょうをふり、小麦粉をまぶす。

2 切る
たまねぎは薄切りに、にんじんは細切りにし、ラップに包んで電子レンジ（600W）で1分加熱する。

3 炒める
フライパンにオリーブ油を熱し、たまねぎ、にんじんを炒める。しんなりしたら、1を加えてさらに炒める。

4 煮る
水、ケチャップ、しょうゆ、ソースを加えて、汁けが少なくなるまで煮る。

5 盛る
器に盛り、パセリを散らす。

［おすすめの献立例］

+ キャベツのしらす和え → p.142

+ きゅうりのクミン炒め → p.155

ボリュームアップのコツ

にんじんは細切りに
このレシピでは、にんじんを細切りにすることでボリュームアップさせました。それだけで見ための満足度がアップ。

主菜｜肉のおかず（牛薄切り肉）

アスパラに巻いて、肉をかさ増し
アスパラガスの牛肉巻き揚げ

材料（1人分）

アスパラガス	35g（細いもの3本）
牛薄切り肉	50g
塩	ミニスプーン1/2
こしょう	少々
水溶き小麦粉	
小麦粉・水	各小さじ2
パン粉	適量
揚げ油	適量
ウスターソース	小さじ1
レモン（くし形）	1切れ

作り方［調理時間 **15**分］

1 切る
アスパラガスは、はかまの部分を取り、半分に切る。牛肉は6枚にする。

2 巻く
牛肉を広げ、塩、こしょうをふり、アスパラガスを巻く。

3 揚げる
水溶き小麦粉、パン粉の順に衣をつけ、180度の揚げ油でカラッと揚げる。

4 盛る
器に盛り、ソース、レモンを添える。

エネルギー	塩分	たんぱく質	カリウム	リン
298kcal	1.3g	9.0g	260mg	107mg

［おすすめの献立例］

 さといものとろろ昆布和え →p.161

 にんじん、たまねぎ、絹さやのコンソメスープ →p.170

プラスワン アスパラガスの牛肉巻き揚げ の牛肉 **使いきり** レシピ　　野菜をねぎにすればさらにカリウム減

ねぎの牛肉巻き焼き

作り方［調理時間 **15**分］

長ねぎ（30g・9cm）は表面に切れ目を入れて、半分の長さに切る。牛薄切り肉（50g）を広げ、ねぎを巻く。サラダ油（小さじ1）を熱して転がしながら焼き、A（しょうゆ・みりん・酒…各小さじ1/2）を回し入れてからめる。

エネルギー	塩分	たんぱく質	カリウム	リン
200kcal	0.5g	7.3g	202mg	83mg

肉の加工過程で出た半端な部分をスライスしたものがこま肉（切り落とし）。赤身が多く、摂取エネルギーのコントロールにも便利な食材です。

牛こま肉

調味料がわりにキムチを使って、減塩&ボリュームアップ
牛こまとキムチの炒めもの

材料（1人分）

牛こま肉	50g
キムチ	20g
小ねぎ	5g（1本）
ごま油	小さじ1
しょうゆ	数滴

エネルギー	塩分	たんぱく質	カリウム	リン
190kcal	0.7g	7.4g	206mg	82mg

作り方［調理時間10分］

1. **切る**
   牛肉は2～3cm幅に切る。キムチは粗みじん切りに、小ねぎは小口切りにする。

2. **炒める**
   フライパンにごま油を熱し、牛肉を炒める。色が変わりかけたらキムチを加えて炒める。しょうゆで味を調え、小ねぎを加え、さっと炒める。

［おすすめの献立例］

+

ほうれん草の煮びたし
→p.129

+

なすの甘酢マリネ
→p.154

※カリウム制限がある場合はほうれん草の煮びたしを、菜の花のからし和え→p.130に変更して下さい。

減塩のコツ

キムチは細かくきざむ

キムチは減塩にも、ボリュームアップにも使えるお助け食材。細かくきざむことで量が多く見え、噛みごたえが出ます。また、しっかり味とうまみが出ているので、キムチの味だけでおいしく食べられます。

主菜 肉のおかず（牛こま肉）

食物繊維豊富なごぼうで腎臓を守る
牛肉とごぼうのしぐれ煮

材料（1人分）

牛こま肉	50g
たまねぎ	25g（1/8個）
ごぼう	30g（1/6本）
しょうが（せん切り）	少々
サラダ油	小さじ1
だし汁（とり方はp.42参照）	1/4カップ
A｜しょうゆ・みりん・酒	各小さじ1

エネルギー	塩分	たんぱく質	カリウム	リン
222kcal	1.0g	7.9g	322mg	113mg

作り方［調理時間 **15**分］

1 切る
牛肉は、細切りにする。たまねぎは薄切りに、ごぼうはささがきにする。

2 炒める
フライパンに油を熱し、たまねぎ、ごぼう、しょうがを炒める。しんなりしたら、だし汁を加える。

3 煮る
2が煮立ったら、牛肉を少しずつ加える。牛肉に火が通ったら、Aを入れ、汁けがなくなるまで煮る。

[おすすめの献立例]

 ブロッコリーとフライドオニオンのサラダ →p.139

 白菜のマヨネーズ和え →p.144

アレンジ 牛肉とごぼうのしぐれ煮の材料で**味がえ**レシピ　　ケチャップ味で洋風に

牛肉とごぼうのケチャップ煮

エネルギー	塩分	たんぱく質	カリウム	リン
217kcal	0.5g	7.5g	290mg	99mg

作り方［調理時間 **15**分］

サラダ油（小さじ1）を熱し、たまねぎ（25g）、ごぼう（30g）、しょうが（少々）を炒める。しんなりしたら、水（1/4カップ）と顆粒コンソメ（小さじ1/5）を加える。煮立ったら、牛こま肉（50g）を少しずつ加える。肉に火が通ったら、トマトケチャップ（小さじ1）を入れ、汁けがなくなるまで煮る。

ヒレ肉は1頭から少量しかとれない部位。脂質が少ないので、とんかつやソテーなど、油を使った料理向きです。腎臓病対策にぴったりの食材です。

豚ヒレ肉

たたいて広げることで肉を大きく見せる
豚ヒレ肉の中華ソテー

材料（1人分）
- 豚ヒレ肉………50g
  - こしょう………少々
  - 小麦粉…………少々
- チンゲン菜………30g（⅓株）
- サラダ油…………小さじ1
- A
  - オイスターソース…小さじ½
  - おろしにんにく……少々
  - 酒………………小さじ1

エネルギー	塩分	たんぱく質	カリウム	リン
121kcal	0.4g	10.1g	310mg	131mg

作り方［調理時間15分］

1 下準備する
豚肉は、麺棒などでたたいて広げ、こしょうをふり、小麦粉をまぶす。チンゲン菜は、ゆでる。

2 焼く
フライパンに油を熱し、豚肉を焼き色がつく程度に両面焼く。火が通ったらAを回しかけ、からめる。

3 盛る
器に盛りつけ、チンゲン菜を添える。

［おすすめの献立例］

＋ パプリカのアンチョビ炒め →p.137

＋ ちぎりこんにゃくのこしょう炒め →p.162

おいしく保存するコツ

水分を拭き取り、ラップでぴったり包む
余ったヒレ肉は、ペーパータオルで水分を拭き取り、ラップでぴったり包みます。保存袋に入れて空気を抜き、冷蔵または冷凍します。冷蔵なら2〜3日、冷凍なら1か月ほど保存が可能です。

主菜 | 肉のおかず（豚ヒレ肉）

冷めても固くなりにくいのでお弁当にもぴったり

チーズヒレカツ

材料（1人分）

豚ヒレ肉 …………… 40g
　塩 ……………… 少々
　こしょう ………… 少々
スライスチーズ ……… 7.5g（½枚）
水溶き小麦粉
　小麦粉・水 ……… 各小さじ2
パン粉 ……………… 適量
揚げ油 ……………… 適量
キャベツ（せん切り） …… 20g（葉½枚弱）
とんかつソース ……… 小さじ1

作り方 ［調理時間15分］

1 下準備する
豚肉は4枚にし、たたいてのばす。

2 揚げる
豚肉に塩、こしょうをふり、スライスチーズをはさむ。水溶き小麦粉、パン粉の順に衣をつけて、170度の揚げ油でカラッと揚げる。

3 盛る
器に**2**とキャベツを盛り、ソースを添える。

［おすすめの献立例］

 ごぼうの
ピクルス
→p.157

+ オクラと
納豆の
みそ汁
→p.168

エネルギー	塩分	たんぱく質	カリウム	リン
200kcal	1.0g	10.4g	248mg	165mg

アレンジ　チーズヒレカツの材料で**味がえ**レシピ　　梅干しの塩けで味つけして減塩

梅しそカツ

作り方 ［調理時間15分］

豚ヒレ肉（40g）にA（梅干し…5g・½個、みりん…小さじ½）を塗り、しそ（2枚）ではさむ。水溶き小麦粉、パン粉の順に衣をつけ、170度の揚げ油でカラッと揚げる。

エネルギー	塩分	たんぱく質	カリウム	リン
181kcal	0.7g	9.1g	252mg	114mg

石川県の代表的な郷土料理のひとつ
治部煮（じぶに）

材料（1人分）

豚ヒレ肉 …………… 50g
　片栗粉 ………… 少々
絹さや ……………… 6g（3枚）
だし汁（とり方はp.42参照）
　………………… ⅓カップ
うすくちしょうゆ・みりん…各小さじ½

エネルギー	塩分	たんぱく質	カリウム	リン
87kcal	0.6g	9.7g	281mg	134mg

作り方 ［調理時間15分］

1 切る
豚肉は薄切りにしてたたいてのばし、ひと口大に切る。絹さやはゆでてから、斜め半分に切る。

2 煮る
鍋にだし汁、うすくちしょうゆ、みりんを熱し、片栗粉をまぶした豚肉を加え、煮る。肉に火が通ったら、器に盛りつけ、絹さやを散らす。

［おすすめの献立例］

+

パプリカの
塩昆布和え
→p.136

+

揚げごぼう
→p.159

おいしく作るコツ

**片栗粉をまぶして
うまみを閉じ込める**
豚ヒレ肉を片栗粉でコーティングして、肉のうまみを閉じ込めました。こうすることで、肉がやわらかく仕上がります。

主菜｜肉のおかず（豚ヒレ肉）

生クリームを使うとコクが出て減塩でもしっかりおいしく
豚ヒレ肉のクリーム煮

材料（1人分）
豚ヒレ肉	45g
こしょう	少々
小麦粉	少々
たまねぎ	20g（1/8個）
ブロッコリー	15g（1房）
オリーブ油	小さじ1
生クリーム・水	各大さじ2
顆粒コンソメ	ミニスプーン1

エネルギー	塩分	たんぱく質	カリウム	リン
241kcal	0.3g	10.0g	322mg	155mg

作り方［調理時間20分］

1 下準備する
豚肉はたたいて広げて細切りにし、こしょうをふり、小麦粉をまぶす。たまねぎは薄切りに、ブロッコリーはラップで包み、電子レンジ（600W）で20秒加熱し、食べやすい大きさに切る。

2 炒める
フライパンにオリーブ油を熱し、たまねぎを炒める。しんなりしたら、豚肉を加えて焼く。

3 煮る
生クリーム、水、コンソメ、ブロッコリーを加え、とろみがつくまで煮る。

[おすすめの献立例]

 小松菜のガーリック炒め →p.128

 なすの甘酢マリネ →p.154

アレンジ 豚ヒレ肉のクリーム煮の材料で**味がえ**レシピ　　カレー風味で食欲を刺激

豚ヒレ肉のカレー煮

エネルギー	塩分	たんぱく質	カリウム	リン
121kcal	0.3g	9.5g	303mg	131mg

作り方［調理時間20分］
たまねぎ（20g）を炒めたら、カレー粉（小さじ1/10）を加えてなじませる。豚ヒレ肉（45g）を焼き、水（大さじ4）、顆粒コンソメ（小さじ1/5）、ブロッコリー（15g）を加え、とろみがつくまで煮る。

たんぱく質が多く脂身が少ない赤身肉。ビタミンB_1が豊富で、糖質の代謝を促します。

豚もも肉

炒めることでトマトと豚肉のうまみを引き出す
豚肉とトマトの炒め煮

材料（1人分）

- 豚もも肉 …………… 50g
- トマト ……………… 70g（½個）
- 長ねぎ ……………… 20g（10cm）
- オリーブ油 ………… 大さじ½
- しょうゆ …………… 小さじ1
- こしょう …………… 少々

エネルギー	塩分	たんぱく質	カリウム	リン
165kcal	0.9g	9.4g	385mg	133mg

作り方［調理時間15分］

1. **切る**
 豚肉は、2cm幅に切る。トマトはざく切りにし、ねぎは斜め薄切りにする。

2. **炒める**
 フライパンにオリーブ油を熱し、豚肉、ねぎを炒める。豚肉が色づいたらトマトを加え、トマトが崩れたらしょうゆを回し入れて香ばしく炒める。こしょうで味を調える。

[おすすめの献立例]

+

ピーマンの
焼きびたし
→p.136

+

かぶの
塩麹漬け
→p.156

※カリウム制限がある場合はかぶの塩麹漬けをごぼうのマリネ→p.159に変更して下さい。

減塩のコツ

加熱したトマトでうまみアップ

トマトは、うまみ成分のひとつであるグルタミン酸が野菜の中でもトップクラス。加熱することで酸味や甘みが引き出されるため、最小限の味つけで十分おいしく食べられます。

主菜 肉のおかず（豚もも肉）

食材を大きめに切って食べごたえアップ
ホイコーロー

材料（1人分）

豚もも肉	50g
片栗粉	少々
ピーマン	15g（½個）
キャベツ	50g（葉1枚）
サラダ油	大さじ½
豆板醤	ミニスプーン1
しょうが（せん切り）	少々
A みそ・酒	各小さじ1
砂糖	小さじ¼
しょうゆ	数滴

エネルギー	塩分	たんぱく質	カリウム	リン
187kcal	1.1g	9.8g	336mg	131mg

作り方[調理時間15分]

1 切る
豚肉は、2cm幅に切る。ピーマンは乱切りに、キャベツはざく切りにする。

2 ゆでる
ピーマン、キャベツをさっとゆで、肉は片栗粉をまぶしてゆで、ざるにあげる。

3 炒める
フライパンに油を熱し、豆板醤を炒める。香りがたったら**2**としょうがを加える。油が回ったらAを回し入れる。

[おすすめの献立例]

 かぶのカレーマヨサラダ →p.153

 もずく酢のサンラータン →p.168

プラスワン ホイコーローの豚肉**使いきり**レシピ　　ピリ辛が苦手ならしょうゆ味で

豚もも肉ともやし炒め

エネルギー	塩分	たんぱく質	カリウム	リン
156kcal	0.9g	9.8g	254mg	130mg

作り方[調理時間10分]

フライパンにごま油（大さじ½）を熱し、豚もも肉（50g）とひげ根を取ったもやし（80g）を炒める。しんなりしたら、しょうゆ（小さじ1）、こしょう（少々）で味を調える。

ロース肉には脂身が多いため、ももやヒレ肉に比べると少しだけ量が多く食べられます。効率よくエネルギーがとれる、おすすめの食材です。

豚ロース肉

調味料がからんでしっかり味がつく

酢豚

材料（1人分）

豚ロース薄切り肉	50g
片栗粉	小さじ1
酒	小さじ1/2
しょうゆ	数滴
たまねぎ	30g（1/6個）
ピーマン	15g（1/2個）
たけのこ（ゆで）	15g
揚げ油	適量
A 水	1/4カップ
トマトケチャップ	小さじ2
砂糖・酢	各小さじ1
片栗粉	小さじ1/2
鶏ガラスープの素	ミニスプーン1
しょうゆ	数滴

作り方 [調理時間20分]

1 切る
豚肉は、ひと口大に切る。たまねぎはひと口大に、ピーマンは乱切りに、たけのこは食べやすい大きさに切る。

2 揚げる
たまねぎ、ピーマン、たけのこは、素揚げする。豚肉に酒、しょうゆ、片栗粉を加えて混ぜ、180度の揚げ油で2～3分揚げる。

3 味つけする
フライパンにAを熱し、とろみがついたら2を加え、からめる。

エネルギー	塩分	たんぱく質	カリウム	リン
279kcal	0.9g	9.6g	356mg	121mg

[おすすめの献立例]

かぶの
コンソメ煮
→p.152

＋

れんこんなます
→p.160

※カリウム制限がある場合はれんこんなますを、きゅうりと春雨のサラダ→p.155に変更して下さい。

おいしく作るコツ

片栗粉や小麦粉をつける
豚ロース薄切り肉は焼くと小さく縮みますが、片栗粉や小麦粉をつけて焼くと縮みを防ぐので、ボリューム感や食べごたえがキープできます。

62

主菜｜肉のおかず（豚ロース肉）

トマトケチャップとウスターソースの酸みとうまみで塩いらず
ポークソテー ケチャップソース

材料（1人分）

豚ロース薄切り肉	50g
こしょう	少々
小麦粉	少々
サラダ油	小さじ1
A｜トマトケチャップ	小さじ1
｜ウスターソース	小さじ½
いんげん	14g（2本）

エネルギー	塩分	たんぱく質	カリウム	リン
192kcal	0.5g	9.3g	226mg	102mg

作り方［調理時間10分］

1 下準備する
豚肉に、こしょうをふり、小麦粉をまぶす。

2 ゆでる
いんげんはゆでてから、食べやすい大きさに切る。

3 焼く
フライパンに油を熱し、1を両面とも焼き、Aをからめる。

4 盛る
器に盛り、いんげんを添える。

［おすすめの献立例］

 大根のからしマヨネーズサラダ →p.150

+ マッシュルームのごま酢和え →p.165

アレンジ ポークソテー ケチャップソースの材料で**味がえ**レシピ　　粒マスタードにすればさらにカリウム減

ポークソテー マスタードソース

エネルギー	塩分	たんぱく質	カリウム	リン
197kcal	0.9g	9.6g	219mg	116mg

作り方［調理時間15分］

フライパンにオリーブ油（小さじ1）を熱し、豚ロース薄切り肉（50g）を焼く。白ワイン（大さじ1）をふってアルコールを飛ばし、粒マスタード（小さじ1）、塩（ミニスプーン½）を加え、からめる。

三枚肉ともいわれる、豚の胸と腹の部分がバラ肉。脂身が多いので、うまみとコクがプラスされます。減塩メニューでもおいしく作れるお助け食材です。

豚バラ肉

スープまですべて飲んでも塩分0.9g!
白菜の重ね蒸し

材料（1人分）

豚バラ肉	70g
白菜	50g（葉大½枚）
長ねぎ	20g（10cm）
しょうが（せん切り）	少々
だし汁（とり方はp.42参照）	½カップ
ポン酢しょうゆ	大さじ½
七味唐辛子	少々

エネルギー	塩分	たんぱく質	カリウム	リン
277kcal	0.9g	10.0g	401mg	132mg

作り方［調理時間15分］

1 切る
豚肉は食べやすい大きさに切る。白菜はざく切りに、ねぎは斜め薄切りにする。

2 蒸し煮にする
鍋に白菜、ねぎ、豚肉、しょうがを交互に平らに入れる。だし汁を加え、ふたをして火にかけ、蒸し煮にする。

3 盛る
スープごと器に盛り、ポン酢しょうゆをかけ、七味唐辛子をふる。

[おすすめの献立例]

＋ ピーマンのきんぴら →p.137

＋ さといものとろろ昆布和え →p.161

腎機能を守るコツ

豚肉のビタミンB1はスープごととる

豚肉には水溶性のビタミンB1がたっぷり。効率よくとるには、溶け出した汁ごととれる調理法がおすすめ。ビタミンB1は糖質をエネルギーにかえる働きがあるので、しっかりとりたい栄養素です。

主菜 | 肉のおかず（豚バラ肉）

春雨入りでボリュームアップ！
肉じゃが

材料（1人分）

豚バラ肉	50g
じゃがいも	40g（大¼個）
たまねぎ	30g（⅙個）
にんじん	10g（1cm）
いんげん	14g（2本）
春雨（乾燥）	20g
サラダ油	小さじ1
A　だし汁（とり方はp.42参照）	½カップ
しょうゆ	小さじ1
砂糖	小さじ1
酒	小さじ1

エネルギー	塩分	たんぱく質	カリウム	リン
346kcal	1.0g	8.0g	482mg	126mg

作り方［調理時間30分］

1 切る
豚肉は食べやすい大きさに切る。じゃがいもは乱切りに、たまねぎはくし形に、にんじんは薄切りにする。いんげんはゆでてから、斜めに切る。春雨は表示通りにゆで、食べやすい長さに切る。

2 炒める
鍋に油を熱し、豚肉をさっと炒め、たまねぎ、にんじん、じゃがいも、春雨を加えて炒める。

3 煮る
2にAを加えて落としぶたをし、10分くらい煮て、いんげんを加え、3〜4分煮る。

［おすすめの献立例］

+ もやしののり和え →p.147

+ たたききゅうり →p.155

アレンジ 肉じゃがの材料で味がえレシピ　　カレー粉でエスニック風に

肉じゃが カレー味

エネルギー	塩分	たんぱく質	カリウム	リン
347kcal	1.0g	8.0g	490mg	128mg

作り方［調理時間30分］

サラダ油（小さじ1）とカレー粉（小さじ¼）を熱し、豚バラ肉（50g）を炒める。じゃがいも（40g）、たまねぎ（30g）、にんじん（10g）、春雨（20g）を加えて炒め、そのほかの材料を炒めて煮る。

良質の脂肪にうまみとコクがあるため、油を使う調理法にすれば、分量が少なくても満足感が得られます。エネルギー量アップのために皮も一緒に調理しましょう。

鶏もも肉

ピリ辛のねぎソースで満足感アップ
ユーリンチー ねぎソース

材料（1人分）

鶏もも肉	60g
酒	小さじ1
片栗粉	少々
揚げ油	適量
A　黒酢	小さじ1
しょうゆ	小さじ2/3
ラー油	小さじ1/4
ねぎ（みじん切り）	小さじ1

エネルギー	塩分	たんぱく質	カリウム	リン
167kcal	0.7g	10.5g	196mg	112mg

作り方［調理時間20分］

1 下準備する
鶏もも肉は、たたいてのばす。

2 揚げる
1に酒をなじませ、片栗粉をまぶし、180度の揚げ油でカラッと揚げ、食べやすい大きさに切る。

3 たれをかける
Aにねぎを加えてよく混ぜ、器に盛った2にかける。

［おすすめの献立例］

+

たまねぎの煮びたし
→p.148

+

にんじんのヨーグルトみそ漬け
→p.156

ボリュームアップのコツ

ラー油や黒酢で満足度をさらにアップ
ラー油や黒酢といった塩分が含まれない調味料を使ったねぎソースをたっぷりかけて、満足度アップ！ 塩分やボリュームの少なさをカバーしてくれます。

主菜｜肉のおかず（鶏もも肉）

フライパンに押しつけて焼くことで皮がパリパリに

チキンソテー

材料（1人分）

鶏もも肉	60g
塩	ミニスプーン1/2
こしょう	少々
ほうれん草	20g（1株弱）
オリーブ油	小さじ1
粗びきこしょう	少々

エネルギー	塩分	たんぱく質	カリウム	リン
153kcal	0.7g	10.5g	313mg	111mg

作り方［調理時間10分］

1 下準備する
鶏肉は、たたいてのばし、塩、こしょうをふる。ほうれん草は3cm長さに切る。

2 焼く
オリーブ油を熱したフライパンで、1の鶏肉を押しつけながら両面とも焼き色がつくまで焼く。鶏肉を取り出し、そぎ切りにする。フライパンに残っている油で、ほうれん草を炒める。

3 盛る
器に2を盛り、鶏肉に粗びきこしょうをふる。

［おすすめの献立例］

 揚げなすの煮びたし →p.154 ＋ 焼きしいたけのおろし和え →p.165

アレンジ｜チキンソテーの材料で**味がえ**レシピ　　オレンジジュースの酸味でフレンチ風に

チキンソテー オレンジソース

エネルギー	塩分	たんぱく質	カリウム	リン
178kcal	0.7g	10.7g	367mg	117mg

作り方［調理時間15分］

フライパンにオレンジジュース（大さじ2）、砂糖（小さじ1）、塩（ミニスプーン1/2）を熱し、とろみがついたら2のソテーした鶏もも肉（60g）にかける。

67

焼く、揚げる、煮込むなどの調理法にすれば、栄養をあますことなくとれます。うまみが出るので、塩分を足さなくてもおいしくいただけます。

鶏手羽先

下ゆでしてくさみを取り、下味をつける手間と塩分をカット
焼き手羽先

材料（1人分）

鶏手羽先	40g（2本）
長ねぎ（青い部分）	1本分
しし唐	18g（3本）
サラダ油	小さじ1
ポン酢しょうゆ	小さじ1
七味唐辛子	少々

エネルギー	塩分	たんぱく質	カリウム	リン
126kcal	0.5g	6.9g	157mg	66mg

作り方［調理時間30分］

1 **下準備する**
手羽先は関節と関節の間に切れ目を入れ、ねぎの青い部分と一緒に20分程度ゆでる。しし唐は、数か所穴をあける。

2 **焼く**
フライパンに油を熱し、手羽先をこんがり焼き色がつくまで、両面焼きつける。フライパンの空いているところでしし唐も焼く。

3 **盛る**
しし唐を器に盛り、手羽先にポン酢しょうゆをからめて盛りつける。七味唐辛子をふる。

［おすすめの献立例］

白菜の
レモン風味漬け
→p.145

わかめの
炒めナムル風
→p.166

減塩のコツ

下味をつけずに焼く
ねぎと一緒に下ゆですることでくさみが取れるので、下味いらずに。表面が味つけされていれば、減塩でも物足りなさを感じません。

主菜｜肉のおかず（鶏手羽先）

コンソメいらず！ 天然の鶏だしで減塩
手羽先ポトフ

材料（1人分）

鶏手羽先	40ｇ(2本)
たまねぎ	25ｇ(1/8個)
にんじん	20ｇ(2cm)
新じゃが(なければじゃがいも)	60ｇ(小1個)
いんげん	14ｇ(2本)
水	1カップ
塩	ミニスプーン1/2
粒マスタード	小さじ1/4

エネルギー	塩分	たんぱく質	カリウム	リン
139kcal	0.8g	7.9g	461mg	107mg

作り方［調理時間30分］

1 切る
手羽先は、関節と関節の間に切れ目を入れる。たまねぎは横に半分に切り、にんじんはいちょう切り、新じゃがは半分に切る。いんげんはゆでてから3cm長さに切る。

2 煮る
鍋に水、塩、1の手羽先を入れて火にかけ、沸騰したらあくを取る。たまねぎ、にんじん、新じゃがを加えてふたをし、20分程度煮る。

3 盛る
いんげんを加えて3～4分煮る。器に盛り、粒マスタードを添える。

［おすすめの献立例］

 ＋ 白菜のオイスターソース炒め →p.145

 ＋ 焼きしいたけのおろし和え →p.165

プラスワン 手羽先ポトフの材料で**使いきり**レシピ　　生クリームを使ってコクを出す

手羽先のクリーム煮

エネルギー	塩分	たんぱく質	カリウム	リン
221kcal	0.7g	7.5g	235mg	100mg

作り方［調理時間30分］

手羽先(40g)とたまねぎ(25g)、にんじん(20g)、新じゃが(60g)を**2**と同じように煮たら、いんげん(14g)と生クリーム(大さじ2)を加えてひと煮する。

血流をよくするカルニチンが多く含まれているので、腎臓病対策におすすめの食材。肉質がやわらかいので、蒸しものにもぴったり。

鶏むね肉

手作りごまだれで、おいしく減塩
蒸し鶏

材料（1人分）

鶏むね肉	50g
酒	小さじ1
しょうが	少々
長ねぎ(青い部分)	1本分
きゅうり	15g(3cm)
トマト	15g(1/10個)
ポン酢しょうゆ・練りごま	各小さじ1

エネルギー	塩分	たんぱく質	カリウム	リン
114kcal	0.5g	10.1g	271mg	153mg

作り方［調理時間15分］

1 下準備する
鶏肉は、たたいてのばす。きゅうりは斜め薄切りに、トマトはくし形に切る。

2 加熱する
耐熱皿に鶏肉を置き、しょうがとねぎをのせて、酒をかける。ラップをして電子レンジ(600W)で2分加熱し、そのまま5分程度蒸らす。

3 割く
2の鶏肉は、粗熱がとれたら割く。

4 盛る
器に3と、1のきゅうりとトマトを盛り合わせ、ポン酢しょうゆと練りごまを合わせてかける。

［おすすめの献立例］

+ ほうれん草の松の実炒め →p.129

+ わかめフライ →p.167

おいしく作るコツ

加熱しすぎなければジューシーに
鶏むね肉は、鶏肉の中でも比較的脂身が少ない部位。火を通しすぎると、パサパサになりがちなので、余熱で火を入れてジューシーに。

主菜 | 肉のおかず（鶏むね肉）

発酵食品で健康効果アップ！
ヨーグルトみそ漬け焼き

材料（1人分）
鶏むね肉 …………… 50g
みそ・ヨーグルト …… 各小さじ½
パプリカ（赤）………… 30g（¼個）

エネルギー	塩分	たんぱく質	カリウム	リン
80kcal	0.3g	9.2g	246mg	113mg

作り方 [調理時間10分（漬け込む時間除く）]

1 漬け込む
鶏肉はたたいてのばす。みそとヨーグルトをよく混ぜ、鶏むね肉を漬けて2時間ほど冷蔵庫に置く。

2 切る
パプリカは、縦に棒状に切る。

3 焼く
鶏肉とパプリカを、魚焼きグリルで6〜7分程度焼く。

[おすすめの献立例]

 ＋ ちぎりこんにゃくのこしょう炒め →p.162

＋ きざみ昆布とさつまいもの煮もの →p.166

アレンジ ヨーグルトみそ漬け焼きの材料で**味がえ**レシピ　　みそを塩麹にかえることでさらに減塩

ヨーグルト塩麹漬け焼き

エネルギー	塩分	たんぱく質	カリウム	リン
79kcal	0.3g	9.0g	237mg	109mg

作り方 [調理時間10分（漬け込む時間除く）]
みそのかわりに塩麹とヨーグルト（各小さじ½）をよく混ぜ、鶏むね肉（50g）を漬けて2時間ほど冷蔵庫に置く。パプリカ（30g）とともに魚焼きグリルで6〜7分程度焼く。

牛や豚、鶏肉などのかたまり肉は、火を通すとかさが少なくなってしまいますが、ひき肉ではその心配は不要。同じ分量でもかたまり肉より多く見えます。

ひき肉

トマト水煮を使ってうまみアップ＆カリウム減

ミートボールのトマト煮

材料（1人分）

合いびき肉	60g
たまねぎ（みじん切り）	小さじ1
にんにく（みじん切り）	少々
オリーブ油	小さじ1
トマト水煮	1/4カップ
トマトケチャップ	小さじ1
顆粒コンソメ	ミニスプーン1
水	大さじ2
パセリ（みじん切り）	少々

エネルギー	塩分	たんぱく質	カリウム	リン
199kcal	0.5g	9.5g	316mg	82mg

作り方[調理時間15分]

1. **混ぜる**
合いびき肉にたまねぎ、にんにくを加えて混ぜ、丸める。

2. **焼く**
フライパンにオリーブ油を熱し、**1**を転がしながら焼く。

3. **煮る**
2にトマト水煮、ケチャップ、顆粒コンソメ、水を加え、ふたをして2～3分程度煮込む。

4. **盛る**
器に盛りつけて、パセリを散らす。

［おすすめの献立例］

+

パプリカのアンチョビ炒め
→p.137

+

ザワークラウト風キャベツ
→p.157

おいしく保存するコツ

1回分ずつラップに包んで保存
余ったひき肉は、水分を拭き取り、1回分ずつラップにぴったりと包み、冷蔵または冷凍に。牛ひき肉なら、ハンバーグだねにして冷凍にしても。

主菜 | 肉のおかず（ひき肉）

スープまで飲み干せてボリュームある一皿
鶏団子の中華煮込み

材料（1人分）

鶏ひき肉 …………… 60g
長ねぎ（みじん切り）…… 小さじ1
片栗粉 ……………… 小さじ1/2
白菜 ………………… 30g（葉大1/3枚）
水 …………………… 1/3カップ
鶏ガラスープの素 …… ミニスプーン1
水溶き片栗粉
　片栗粉 …………… 小さじ1/2
　水 ………………… 小さじ1

作り方［調理時間15分］

1 切る
白菜はそぎ切りにする。

2 混ぜる
ひき肉、ねぎ、片栗粉をよく混ぜ、丸める。

3 煮る
鍋に水、鶏ガラスープの素を入れて火にかけ、**2**の鶏団子、**1**の白菜を加えてふたをして4～5分程度煮る。仕上げに水溶き片栗粉でとろみをつける。

エネルギー	塩分	たんぱく質	カリウム	リン
119kcal	0.3g	9.0g	228mg	79mg

［おすすめの献立例］

 トマトのガーリック炒め → p.134

 せん切りごぼうとにんじんのサラダ → p.159

アレンジ 鶏団子の中華煮込みの材料で **味がえ** レシピ　　スープを和風にアレンジ

和風鶏団子

作り方［調理時間15分］

鍋にだし汁（1/3カップ/とり方はp.42参照）、しょうゆ（小さじ1/6）を入れて火にかけ**2**の鶏団子、白菜（30g）を加えてふたをして4～5分程度煮る。仕上げに水溶き片栗粉（片栗粉…小さじ1/2、水…小さじ1）でとろみをつける。

エネルギー	塩分	たんぱく質	カリウム	リン
120kcal	0.3g	9.2g	269mg	88mg

鮭の身のピンク色は、アスタキサンチンという成分。強い抗酸化作用があるため、動脈硬化を防ぐ効果が。脂に豊富なEPAやDHAにも同じ効果が期待できます。

鮭

そぎ切りにして、見ためのボリュームも満足感もアップ
鮭の竜田揚げ

材料（1人分）
鮭	50g（½切れ）
しし唐	12g（2本）
しょうゆ・酒	各小さじ½
片栗粉	適量
揚げ油	適量

エネルギー	塩分	たんぱく質	カリウム	リン
116kcal	0.5g	9.8g	229mg	130mg

作り方［調理時間15分］

1 切る
鮭は、食べやすい大きさにそぎ切りにする。しし唐は、フォークなどで数か所穴をあける。

2 揚げる
鮭はしょうゆと酒をなじませ、片栗粉をまぶし、170度の揚げ油で揚げる。しし唐も一緒に揚げる。

［おすすめの献立例］

＋ チンゲン菜の中華炒め煮 →p.130

＋ パプリカのピクルス →p.157

エネルギーアップのコツ
片栗粉をつけ、油で揚げる
片栗粉大さじ1（9g）で30kcalプラスに。さらに揚げると、エネルギー量が約30kcalアップします。たんぱく質が少ない分、脂質でエネルギー量を補うことが大切です。

主菜 | 魚介のおかず（鮭）

塩麹を使って減塩
鮭の塩麹焼き

材料（1人分）

鮭 ……………… 50g（½切れ）
塩麹 ……………… 小さじ1
ピーマン ……………… 15g（½個）

エネルギー	塩分	たんぱく質	カリウム	リン
72kcal	0.8g	9.7g	206mg	125mg

作り方［調理時間10分］

1 切る
ピーマンは、1cm幅に切っておく。

2 焼く
鮭に塩麹をなじませ、ピーマンとともに魚焼きグリルで火が通るまで焼く。

［おすすめの献立例］

 かぼちゃの甘煮 →p.140
+
 揚げ大根のおかか和え →p.150

プラスワン 鮭の塩麹焼きの鮭 **使いきり**レシピ　塩麹がないときや、グリルがない場合でも作れる

鮭のホイル焼き

エネルギー	塩分	たんぱく質	カリウム	リン
95kcal	0.6g	9.8g	216mg	129mg

作り方［調理時間10分］

アルミホイルに鮭（50g）、ピーマン（15g）をのせ、塩麹のかわりにバター（小さじ1）をのせてホイルの口を閉じる。グリルやオーブントースターで7〜8分焼く。食べる直前にしょうゆ（小さじ½）をかける。

75

さばは10％以上が脂質。特に不飽和脂肪酸のEPAやDHAがたっぷり含まれているので、慢性腎臓病をはじめとする生活習慣病予防に役立ちます。

さば

そぎ切りにすると少量の調味料でも味がしっかりと入る
さばの酢じめ

材料（1人分）
さば	50g（大½切れ）
貝割れ大根	10g（¼パック）
塩	ミニスプーン¼
酢	大さじ1
練りわさび	少々

エネルギー	塩分	たんぱく質	カリウム	リン
114kcal	0.5g	9.1g	179mg	117mg

作り方［調理時間20分］

1 切る
さばは、食べやすい大きさにそぎ切りにする。貝割れ大根は食べやすい長さに切る。

2 漬ける
さばに塩をなじませて10分おき、水けを拭いて、酢に5分程度漬ける。

3 盛る
さばの汁けをきって器に盛り、貝割れ大根とわさびを添える。

［おすすめの献立例］

+
ピーマンの焼きびたし → p.136

+
ミニトマトとわかめのみそ汁 → p.168

減塩のコツ
酸味を生かし、味にメリハリをつける
酸味を生かすことで、味にメリハリをつけると、おいしく減塩できます。また、酢に含まれる酢酸には、血圧を下げる効果があります。

76

主菜 | 魚介のおかず（さば）

少量のみそだけでも、しっかり味がつく
さばのみそ煮

材料（1人分）
さば …………………… 50g（大½切れ）
長ねぎ ………………… 30g（⅓本）
しょうが ……………… 2g（¼片）
A｜水 …………………… ½カップ
　｜みりん ……………… 小さじ1
　｜みそ ………………… 小さじ½

作り方［調理時間15分］
1 切る
さばは、皮目に切れ目を入れる。ねぎは食べやすい長さに切り、切れ目を入れる。しょうがはせん切りにする。

2 煮る
1とAをすべて鍋に入れ、ふたをして中火にかける。水けが少なくなるまで煮る。

エネルギー	塩分	たんぱく質	カリウム	リン
129kcal	0.5g	9.6g	242mg	124mg

［おすすめの献立例］
 菜の花のからし和え → p.130
 大根のナムル → p.151

プラスワン さばのみそ煮のさば**使いきり**レシピ　揚げ煮でボリューム＆エネルギー量アップ

さばの揚げ煮

作り方［調理時間20分］
さば（50g）は片栗粉（少々）をまぶして180度の揚げ油で2～3分揚げる。鍋に水（½カップ）、しょうゆ（小さじ½）、みりん（小さじ1）と5㎜厚さの小口切りにした長ねぎ（30g）を入れて煮立て、さばを加えて煮る。水溶き片栗粉（片栗粉…小さじ1、水…小さじ½）でとろみをつけ、おろししょうが（2g）をのせる。

エネルギー	塩分	たんぱく質	カリウム	リン
170kcal	0.6g	9.4g	244mg	126mg

不飽和脂肪酸のDHAとEPAが豊富で、生活習慣病予防に効果的な魚。ビタミンEも豊富なので、血管の老化防止も期待できます。

ぶり

スープまで飲んでも塩分0.7g！
ぶりしゃぶ

材料（1人分）

ぶり	50g（大½切れ）
片栗粉	適量
水菜	30g（1½株）
だし汁（とり方はp.42参照）	¾カップ
ポン酢しょうゆ	小さじ1

作り方 ［調理時間10分］

1. **切る**
   ぶりはそぎ切りに、水菜はざく切りにする。
2. **煮る**
   ぶりに片栗粉をまぶし、温めただし汁に入れる。
3. **盛る**
   ぶりの色がかわったら水菜を加えてさっと煮、器に盛り、ポン酢しょうゆをかける。

エネルギー	塩分	たんぱく質	カリウム	リン
136kcal	0.7g	10.4g	440mg	109mg

[おすすめの献立例]

＋ にんじんの甘煮 →p.133

＋ 白菜のマヨネーズ和え →p.144

おいしく食べるコツ

スープまで飲んで栄養をムダなくとる

刺身で食べられる魚は生のほうがDHAやEPAが効率よくとれますが、加熱する場合は、煮汁ごと食べるようにします。火の通しすぎには注意しましょう。

主菜 | 魚介のおかず（ぶり）

たれに漬け込まないから減塩&時短に
ぶりの照り焼き

材料（1人分）

ぶり	50g（大½切れ）
サラダ油	小さじ1
A しょうゆ・みりん・酒	各小さじ½
しそ	1g（1枚）

エネルギー	塩分	たんぱく質	カリウム	リン
153kcal	0.5g	9.5g	207mg	71mg

作り方［調理時間10分］

1 焼く
フライパンに油を熱し、ぶりを焼き色がつくまで両面焼き、よく混ぜたAをからめる。

2 盛る
しそを敷いた器に、1を盛りつける。

［おすすめの献立例］

 ミニトマトのはちみつ漬け →p.135

 キャベツの煮びたし →p.143

プラスワン ぶりの照り焼きのぶり**使いきり**レシピ　にんにく風のスタミナソテー

ぶりのガーリックソテー

エネルギー	塩分	たんぱく質	カリウム	リン
148kcal	0.6g	9.3g	196mg	67mg

作り方［調理時間10分］

ぶり（50g）に塩（ミニスプーン½）をふる。オリーブ油（小さじ1）と薄切りにんにく（2枚）を熱して香りをたたせて、ぶりをソテーする。

魚介類の中でもたんぱく質の量が多く、特にアミノ酸の一種であるタウリンが豊富なあじ。マリネなどにして鮮度のいいうちに生で食べるのもおすすめです。

あじ

お刺身で作れば、和えるだけで完成!
あじの洋風マリネ

材料（1人分）
- あじ（刺身用）……… 50g（小半身）
- 紫たまねぎ ……… 30g（1/6個）
- A
  - 酢 ……… 小さじ1
  - オリーブ油 ……… 小さじ1
  - 塩 ……… ミニスプーン1/4
- パセリ（みじん切り）…… 少々

エネルギー	塩分	たんぱく質	カリウム	リン
104kcal	0.4g	8.6g	236mg	126mg

作り方［調理時間10分］

1 切る
あじは、ひと口大のそぎ切りにする。紫たまねぎは、薄切りにする。

2 和える
よく混ぜたAとあじを和える。

3 盛る
器に紫たまねぎ、2をマリネ液ごと盛り、パセリを散らす。

［おすすめの献立例］

かぼちゃの甘煮
→p.140

揚げごぼう
→p.159

減塩のコツ

あじの脂で減塩
一緒に盛った野菜にもあじの脂がなじんだマリネ液がからむので、ドレッシングいらずで減塩に。

主菜 | 魚介のおかず（あじ）

つけ合わせも一緒に作れて手間いらず
あじのムニエル

材料（1人分）

あじ	50g（小半身）
塩	ミニスプーン1/4
こしょう	少々
小麦粉	適量
バター	小さじ1
ホールコーン	大さじ1
ミニトマト	10g（1個）

エネルギー	塩分	たんぱく質	カリウム	リン
112kcal	0.6g	9.1g	235mg	127mg

作り方［調理時間10分］

1. **下準備する**
   あじに、塩、こしょうをふり、小麦粉をまぶす。
2. **焼く**
   フライパンにバターを熱し、1のあじを両面焼き色がつくまで焼く。空いているスペースで、コーンを炒める。
3. **盛る**
   あじとコーンを器に盛り、ミニトマトを添える。

［おすすめの献立例］

+ 水菜ののり和え →p.131

+ 春雨と大根、にんじんのすまし汁 →p.170

プラスワン あじのムニエルのあじ**使いきり**レシピ　トースターで簡単に作れる

あじのマヨネーズ焼き

エネルギー	塩分	たんぱく質	カリウム	リン
98kcal	0.6g	8.9g	231mg	127mg

作り方［調理時間10分］

オーブントースターの天板にあじ（50g）をのせ、マヨネーズ（小さじ1）を塗る。ホールコーン（大さじ1）とミニトマト（10g）を周りに置き、トースターで5分焼く。

腎臓によいとされるEPAやDHAなどの不飽和脂肪酸の含有量は、魚類の中でいわしがトップ。動脈硬化の予防やコレステロールを減らす効果も。

いわし

しその香りと衣の香ばしさでおいしく減塩
いわしのロール揚げ

材料（1人分）

いわし	50g（小1尾）
梅干し	3g（⅓個）
みりん	小さじ1
しそ	2g（2枚）
片栗粉	少々
揚げ油	適量

エネルギー	塩分	たんぱく質	カリウム	リン
134kcal	0.5g	8.3g	153mg	119mg

作り方［調理時間15分］

1. **切る**
   いわしは三枚におろし、縦に半分に切る。
2. **合わせる**
   梅干しとみりんをよく混ぜ合わせる。
3. **巻く**
   1を広げ、しそをのせ、2を塗る。端から巻き、巻き終わりを楊枝で止める。
4. **揚げる**
   3に片栗粉をまぶし、170度の揚げ油で3〜4分程度揚げる。

［おすすめの献立例］

春菊のごま和え
→p.128

春雨と大根、にんじんのすまし汁
→p.170

減塩のコツ

梅干しの酸味が調味料がわりに
梅干しの酸味としその香り、油で揚げた香ばしさで、塩をふらなくてもおいしく食べられます。

82

主菜 | 魚介のおかず（いわし）

腎臓によいDHAやEPAが豊富
いわしのつみれ煮

材料（1人分）

いわし	50g（小1尾）
大根	30g（約1cm）
長ねぎ	10g（5cm）
しょうが（すりおろし）	少々
片栗粉	小さじ1/3
だし汁（とり方はp.42参照）	1/2カップ
しょうゆ	小さじ1/2
七味唐辛子	少々

エネルギー	塩分	たんぱく質	カリウム	リン
94kcal	0.6g	8.8g	304mg	142mg

作り方　[調理時間20分]

1 切る
いわしはみじん切りにする。大根はいちょう切りにして、ゆでる。ねぎは小口切りにする。

2 丸める
いわしにしょうが、片栗粉を入れてよく混ぜ、ひと口大に丸める。

3 煮る
鍋にだし汁としょうゆを熱し、**2**を煮る。大根とねぎを加え、さらに煮込む。

4 盛る
器に盛り、七味唐辛子をふる。

[おすすめの献立例]

 水菜ののり和え → p.131

 れんこんなます → p.160

※カリウム制限がある場合は水菜ののり和えを、たまねぎのソース炒め→p.149に変更して下さい。

プラスワン　いわしのつみれ煮のいわし**使いきり**レシピ　いわしを三枚におろして、イタリア風煮込みに

いわしのトマト煮

エネルギー	塩分	たんぱく質	カリウム	リン
173kcal	1.5g	9.0g	310mg	133mg

作り方　[調理時間20分]

三枚におろしたいわし（50g）に小麦粉（適量）をまぶし、オリーブ油（小さじ1）を熱したフライパンで両面とも焼く。トマトケチャップ（大さじ3）と水（大さじ2）を加え、煮込む。こしょう（少々）で味を調える。

かじき

低脂肪で高たんぱくの食材。たんぱく質の代謝を促すビタミン B₆ やナイアシンも豊富です。

素材の味を生かした減塩レシピ!
かじきとあさりのワイン蒸し

材料（1人分）

あさり	……………	30g
かじき	……………	40g（小½切れ）
にんにく	……………	2.5g（½個）
ズッキーニ	……………	30g（⅙本）
オリーブ油	……………	小さじ1
白ワイン	……………	大さじ2

エネルギー	塩分	たんぱく質	カリウム	リン
106kcal	0.5g	7.3g	328mg	138mg

作り方 [調理時間 **10分**（砂抜きの時間除く）]

1. **砂抜きする**
   あさりは、塩水に入れて砂抜きする。

2. **切る**
   かじきは食べやすい大きさにそぎ切りにする。にんにくはつぶし、ズッキーニは輪切りにする。

3. **焼く**
   フライパンにオリーブ油とにんにくを熱し、かじきを両面こんがり焼きつける。あさり、ズッキーニを加え、ワインをふり、ふたをして蒸し焼きにする。あさりの口が開いたら器に盛る。

[おすすめの献立例]

+

キャロットラペ
→p.132

+

れんこんの
黒こしょう炒め
→p.160

※カリウム制限がある場合は、れんこんの黒こしょう炒めを、きゅうりのクミン炒め→p.155に変更して下さい。

おいしく作るコツ

魚の水けを拭き取る

魚は切り身でも一尾でも、パックなどから出したらペーパータオルで水けを拭き取ります。くさみが抜け、味がしみ込みやすくなります。

主菜 | 魚介のおかず（かじき）

焼いてから漬け込みうまみを閉じ込める
かじきのマリネ

材料（1人分）
かじき	50g	（約½切れ）
パプリカ（オレンジ）	30g	（¼個）
サラダ油	小さじ1	
小麦粉	小さじ½	
A　ナンプラー	小さじ½	
砂糖	小さじ¼	
酢	小さじ1	
パクチー（パセリでも）	少々	

エネルギー	塩分	たんぱく質	カリウム	リン
124kcal	0.8g	8.2g	297mg	140mg

作り方［調理時間20分］

1 切る
かじきは、そぎ切りにする。パプリカは細切りにして、さっとゆでる。

2 焼く
フライパンに油を熱し、小麦粉をまぶしたかじきを両面とも焼く。

3 なじませる
Aをよく混ぜ合わせ、パプリカと**2**をなじませる。

4 盛る
器に盛り、パクチーを添える。

［おすすめの献立例］

 たまねぎと水菜のサラダ →p.148 ＋ ごぼうのトマト煮 →p.158

プラスワン かじきのマリネのかじき**使いきり**レシピ　油で揚げるだけ！ソースをかけなくてもおいしい

かじきのフライ

エネルギー	塩分	たんぱく質	カリウム	リン
174kcal	0.4g	8.5g	293mg	143mg

作り方［調理時間10分］
かじき（50g）に塩（ミニスプーン¼）、こしょう（少々）をふり、水溶き小麦粉（適量）、パン粉（適量）をまぶして170度の揚げ油で2～3分揚げる。パプリカ（30g）も一緒に素揚げする。

良質のたんぱく質が豊富でアミノ酸バランスもバツグン。秋の戻りがつおは、脂がのっている分おいしく、DHAやEPAが豊富に含まれています。

かつお

小さく切ることで味なじみよく
かつおの角煮

材料（1人分）

- かつお ……………… 40g（2cm）
- 長ねぎ ……………… 30g（1/3本）
- A
  - だし汁（とり方はp.42参照） ……… 1/4カップ
  - みりん ……… 小さじ1
  - しょうゆ ……… 小さじ1/3

エネルギー	塩分	たんぱく質	カリウム	リン
80kcal	0.4g	8.7g	252mg	122mg

作り方［調理時間15分］

1. **切る**
   かつおは2cmの角切りにする。ねぎは1cm厚さに切る。

2. **煮る**
   鍋にAを熱し、かつお、ねぎを加え、ふたをしてかつおに火が通るまで煮込む。

［おすすめの献立例］

＋ かぶの葉のペペロンチーノ炒め →p.153

＋ ごぼうのマリネ →p.159

作りおき 冷蔵で3～4日間

おいしく保存するコツ

余った刺身は角煮や照り焼きにして保存
かつおは鮮度が落ちやすいので、余った刺身などは、角煮や照り焼きに。冷蔵で3～4日保存できます。

主菜 | 魚介のおかず（かつお）

香味野菜の香りでいただく
かつおのたたき

材料（1人分）

かつお（たたき）	40g（2cm）
小ねぎ	5g（1本）
みょうが	5g（½本）
たまねぎ	30g（⅙個）
A しょうゆ	小さじ⅓
ごま油	小さじ1
しょうが（すりおろし）	少々

エネルギー	塩分	たんぱく質	カリウム	リン
109kcal	0.3g	8.6g	234mg	119mg

作り方[調理時間10分]

1. **切る**
   かつおは食べやすい大きさに切る。小ねぎとみょうがは小口切りに、たまねぎは薄切りにする。

2. **盛る**
   たまねぎ、かつおを盛り、小ねぎ、みょうがをのせて、よく混ぜたAをかける。

[おすすめの献立例]

 チンゲン菜の中華炒め煮 → p.130 ＋ 揚げごぼう → p.159

プラスワン かつおのたたきのかつお**使いきり**レシピ　油で揚げてうまみを閉じ込める

かつおの竜田揚げ

エネルギー	塩分	たんぱく質	カリウム	リン
119kcal	0.3g	8.6g	235mg	120mg

作り方[調理時間15分]

かつお（40g）に片栗粉（適量）をまぶして、170度の揚げ油で揚げる。小ねぎ（5g）、みじん切りにしたたまねぎ（30g）とみょうが（5g）、A（上記参照）を合わせたたれを添える。

たい

低エネルギーの白身魚は、ダイエット中のたんぱく源にも最適。グルタミン酸やイノシン酸などのうまみ成分が多く、たいそのものの味のよさを際立たせています。

調味料は最小限でもしっかりおいしい
たいのサラダ仕立て

材料（1人分）

たい（刺身用・薄切り）	50g（約6切れ）
レタス	50g（大1枚）
トマト	30g（⅙個）
塩	ミニスプーン½
オリーブ油	小さじ1
粗びきこしょう	少々

作り方［調理時間5分］

1. **切る**
   レタスはちぎり、トマトは薄切りにする。

2. **盛る**
   器にレタス、トマトを盛り、たいをのせる。塩をまんべんなくふり、オリーブ油をかけ、粗びきこしょうをふる。

エネルギー	塩分	たんぱく質	カリウム	リン
113kcal	0.6g	9.7g	409mg	149mg

[おすすめの献立例]

+

揚げかぼちゃ
→p.140

+

マッシュルームのごま酢和え
→p.165

※カリウム制限がある場合は、揚げかぼちゃを、わかめフライ→p.167に変更して下さい。

減塩のコツ

たいのうまみを十分に生かす

調味料を使わなくてもおいしいのは、たいにはグルタミン酸やイノシン酸といったうまみ成分が豊富なため。だから最小限の調味料でもおいしく食べられます。

主菜 | 魚介のおかず（たい）

素揚げしたワンタンの皮をトッピング
たいの中華蒸し ごま油がけ

材料（1人分）

たい（切り身）	50g（大½切れ）
チンゲン菜	30g（⅓株）
長ねぎ	15g（7cm）
ワンタンの皮	1枚
塩	ミニスプーン¼
ごま油	小さじ1
紹興酒	大さじ1
揚げ油	適量
中華だれ（作り方はp.124参照）	小さじ1

作り方［調理時間15分］

1 切る
たいには切り込みを入れる。チンゲン菜は、軸は縦に太めのせん切りに、葉はざく切りにする。ねぎは白髪ねぎに、ワンタンの皮は細切りにする。

2 下味をつける
たいに塩をふり、下味をつける。

3 加熱する
耐熱皿にチンゲン菜を広げ、たいをのせ、紹興酒をふる。ラップをして、電子レンジ（600W）で1分半加熱する。

4 揚げる
150度の揚げ油で、ワンタンの皮を素揚げする。

5 盛る
3に白髪ねぎをのせて、熱したごま油を回しかける。仕上げに**4**をのせ、中華だれをかける。

エネルギー	塩分	たんぱく質	カリウム	リン
158kcal	0.9g	10.4g	358mg	147mg

［おすすめの献立例］

 + キャロットラペ →p.132 + かぶのゆずこしょう和え →p.153

プラスワン たいの中華蒸し ごま油がけのたい**使いきり**レシピ　バター焼きにしてうまみをアップ

たいのポワレ

エネルギー	塩分	たんぱく質	カリウム	リン
127kcal	0.4g	9.7g	308mg	135mg

作り方［調理時間10分］

たい（50g）に小麦粉（適量）をまぶし、バター（小さじ1）を溶かしたフライパンで両面ともこんがり焼く。ゆでたいんげん（30g・4本）も空いているところで焼く。

いかは低脂肪、低たんぱく食品。コレステロールのコントロールに働くタウリンが豊富です。えびにはタウリンのほか、抗酸化作用が高いアスタキサンチンも豊富です。

いか・えび

卵を使わない衣で、たんぱく質をカット
いかのてんぷら

材料（1人分）

いか	40g（¼杯）
衣｜小麦粉・水	各大さじ2
しいたけ	10g（小1枚）
しそ	2g（2枚）
揚げ油	適量
塩	適宜
レモン（くし形）	1個

エネルギー	塩分	たんぱく質	カリウム	リン
296kcal	0.5g	7.0g	183mg	121mg

作り方［調理時間10分］

1 切る
いかは食べやすい大きさに切る。

2 揚げる
衣の小麦粉と水はよく混ぜて衣を作る。しいたけとしそ、いかは、それぞれ衣にくぐらせ、180度の揚げ油でいかで、しいたけは2～3分、しそは数秒揚げる。

3 盛る
2を盛り、塩とレモンを添える。

[おすすめの献立例]

＋ ほうれん草の煮びたし → p.129

＋ トマトとたまねぎの和風サラダ → p.135

おいしく作るコツ

いかはさっと加熱が基本
いかは火を通すとかたくなりやすいので、短時間加熱が基本です。煮ものの場合は最後に鍋に入れて余熱で味をしみ込ませると、やわらかい食感が残ります。

主菜 | 魚介のおかず（いか）

にんにくとオリーブ油の香りで減塩
いかのアヒージョ

材料（1人分）

いか	50g（¼杯）
マッシュルーム	20g（大1個）
パプリカ（赤）	20g（⅙個）
オリーブ油	¼カップ
にんにく（みじん切り）	少々
小麦粉	適量
パセリ（みじん切り）	少々

エネルギー	塩分	たんぱく質	カリウム	リン
301kcal	0.3g	7.5g	277mg	154mg

作り方 ［調理時間 10分］

1 切る
いかは、表面に格子状に切り込みを入れ、食べやすい大きさに切る。マッシュルームは4等分に、パプリカは乱切りにする。

2 煮る
フライパンにオリーブ油とにんにくを熱し、香りが立ってきたらマッシュルーム、小麦粉をまぶしたいか、パプリカを入れてごく弱火で煮込む。

3 盛る
器に盛り、パセリを散らす。

［おすすめの献立例］

 ミニトマトのはちみつ漬け → p.135

 キャベツとコーンのサラダ → p.142

きのこを入れて食物繊維＆食べごたえアップ
いかのバジル炒め

材料（1人分）

いか	50g（¼杯）
小麦粉	適量
しめじ	30g（⅓パック）
バジル	2g（2枚）
パプリカ（オレンジ）	20g（⅙個）
オリーブ油	小さじ1
粗びきこしょう	少々

エネルギー	塩分	たんぱく質	カリウム	リン
98kcal	0.3g	7.6g	315mg	161mg

作り方 ［調理時間10分］

1 切る
いかは、1cm幅の細切りにする。しめじは食べやすくほぐし、バジルはざく切り、パプリカは細切りにする。

2 炒める
フライパンにオリーブ油を熱し、しめじ、パプリカを炒める。小麦粉をまぶしたいかとバジルを加えて炒め合わせ、粗びきこしょうをふる。

［おすすめの献立例］

 ＋ ミニトマトのごま酢和え → p.135 　 ＋ 揚げなすの煮びたし → p.154

主菜｜魚介のおかず（いか・えび）

えびをひと口大に切ることでボリュームを出す
えびのかき揚げ

材料（1人分）

むきえび	40g（5尾）
三つ葉	15g（10本）
小麦粉	小さじ1
衣 小麦粉	大さじ1½
水	大さじ1
揚げ油	適量
天つゆ	
だし汁（とり方はp.42参照）	大さじ2
うすくちしょうゆ・みりん	各小さじ½

エネルギー	塩分	たんぱく質	カリウム	リン
247kcal	0.7g	8.8g	266mg	145mg

作り方［調理時間**10**分］

1 切る
えびはひと口大に切る。三つ葉はざく切りにする。

2 揚げる
えびと三つ葉を合わせ、小麦粉をまぶす。合わせた衣をつけて、180度の揚げ油で揚げる。

3 盛る
器に盛り、天つゆを添える。

［おすすめの献立例］

 かぶの葉の
ごま和え
→p.152

 しらたき、にんじん、
きゅうりの
マヨサラダ
→p.163

片栗粉のとろみで味がからみやすくなるので減塩でもおいしく

えびのチリソース炒め

材料（1人分）

えび	50g（3尾）
エリンギ	30g（½本）
サラダ油	小さじ1
A｜水	大さじ2
トマトケチャップ	小さじ1
鶏ガラスープの素	少々
片栗粉	少々
豆板醤	少々

エネルギー	塩分	たんぱく質	カリウム	リン
100kcal	0.9g	9.6g	312mg	181mg

作り方 ［調理時間10分］

1 切る
えびは殻をむき背ワタを取る。エリンギは、軸の太いところは半月切りにし、そのほかの部分はいちょう切りにする。

2 炒める
フライパンに油を熱し、えびとエリンギを炒め合わせ、混ぜ合わせたAをからめる。

［おすすめの献立例］

＋ キャロットラペ →p.132

＋ しらたき、にんじん、きゅうりのマヨサラダ →p.163

主菜 | 魚介のおかず（えび）

セロリとカレー粉の風味で減塩
えびとセロリのスパイシー炒め

材料（1人分）

えび	…………………	50g（3尾）
セロリ	………………	40g（小½本）
オリーブ油	…………	小さじ1
カレー粉	……………	小さじ¼

エネルギー	塩分	たんぱく質	カリウム	リン
87kcal	0.3g	9.2g	353mg	168mg

作り方［調理時間10分］

1 切る
えびは殻をむき背ワタを取る。セロリは斜め薄切りにする。

2 炒める
フライパンにオリーブ油、カレー粉を熱し、えびとセロリを炒め合わせる。

［おすすめの献立例］

 水菜ののり和え →p.131

 かぶのコンソメ煮 →p.152

※カリウム制限がある場合は、水菜ののり和えを、ピーマンのきんぴら →p.137 に変更して下さい。

おいしく保存するコツ

余ったえびは下ごしらえしてから冷凍する
余ったえびは頭や殻、背ワタを取り、塩水で洗ってから冷凍を。水分を拭き取り、ラップを敷いた金属トレイに重ならないように並べて冷凍します。凍ったら保存袋へ。1か月ほど保存できます。

具だくさん鍋

鍋は、主菜、副菜、汁ものを兼ねた便利な一品。
1年中おいしくいただけます。
茶碗1杯のごはんと一緒に。
（栄養成分の数値はスープを含む）

鶏から出る自然のうまみで減塩でもおいしい
水炊き鍋

材料（1人分）

鶏もも肉	60g
白菜	30g（葉大1/3枚）
春菊	10g（1株）
長ねぎ	10g（5cm）
くずきり（乾燥）	5g
しめじ	10g
昆布だし（とり方は下コラム参照）	1カップ
ポン酢しょうゆ	小さじ1

エネルギー	塩分	たんぱく質	カリウム	リン
155kcal	1.0g	11.2g	634mg	145mg

昆布だしのとり方

鍋に昆布と水を入れ、30分程度漬けておきます。中火にかけ、沸騰直前に昆布を取り出せばできあがり。鍋底から、小さな気泡がふつふつしてきたころが、昆布を取り出すサイン。あまり長く入れておくと、昆布の粘り成分が溶け出して風味をそこなうので、気をつけましょう。

作り方 ［調理時間20分］

1. 鶏肉は、ひと口大に切る。白菜と春菊はざく切りに、ねぎは斜め切りにする。くずきりは表示通り戻す。しめじは、食べやすくほぐす。
2. 鍋に昆布だし、鶏肉を入れて熱し、煮立ったらあくを取ってふたをし、10分煮込む。
3. 2に白菜、ねぎ、しめじを加えて煮る。しんなりとしたら、春菊とくずきりを加えてさっと煮る。
4. 食べる直前にポン酢しょうゆをかける。

カキとみその相性バツグン
カキのみそ鍋

材料（1人分）
カキ	60g
焼き豆腐	30g(1/10丁)
水菜	10g(1/2株)
にんじん	10g(1cm)
長ねぎ	10g(5cm)
だし汁(とり方はp.42参照)	3/4カップ
みそ	小さじ1
七味唐辛子	適宜

作り方［調理時間15分］
1. 水菜はざく切りに、にんじんはピーラーで薄切りに、ねぎは斜め切りにする。
2. 鍋にだし汁、カキ、豆腐を入れて熱し、煮立ったらにんじん、ねぎを加え、みそを溶き入れる。水菜を加える。好みで七味唐辛子をふってもよい。

エネルギー	塩分	たんぱく質	カリウム	リン
82kcal	1.6g	6.6g	354mg	134mg

魚介のだしでうす味でも味がしまる
ブイヤベース

材料（1人分）
たら	30g(小1/2切れ)
えび(むき)	20g(2尾)
あさり(殻つき)	正味12g(4個)
オリーブ油	小さじ1/2
にんにく(みじん切り)	少々
白ワイン	1/4カップ
トマトピューレ	大さじ2
パセリ(みじん切り)	少々

作り方［調理時間15分 (砂抜きの時間除く)］
1. たらは、食べやすい大きさに切る。えびは背ワタをとっておく。あさりは砂抜きしておく。
2. フライパンにオリーブ油とにんにくを熱し、たら、えびを両面焼きつける。
3. あさりを入れて白ワインを加えてふたをする。あさりの口が開いたら、ふたを取り、アルコールをとばす。トマトピューレを加えてさっと煮る。
4. 器に盛り、パセリを散らす。

エネルギー	塩分	たんぱく質	カリウム	リン
76kcal	0.5g	8.9g	381mg	158mg

良質なたんぱく質がたっぷり含まれた優良食品。ビタミンB群や食物繊維、必須脂肪酸のひとつα-リノレン酸なども豊富なので、毎日とるよう心がけて。

大豆

山椒がピリリときいて減塩を助ける
塩麻婆豆腐

材料（1人分）

絹ごし豆腐	100g（⅓丁）
にら	7.5g（½本）
サラダ油	小さじ1
豚ひき肉	20g
長ねぎ（みじん切り）	小さじ2
しょうが（みじん切り）	少々
A 水	大さじ3
片栗粉	小さじ1
鶏ガラスープの素	小さじ¼
砂糖	ひとつまみ
粉山椒	少々

作り方［調理時間20分］

1 切る
豆腐を1.5cm角に切り、ゆでてざるにあげ、水けをきる。にらは、粗みじん切りにする。

2 炒める
フライパンに油を熱し、ひき肉を炒める。脂が出てきたらねぎ、しょうがを加えてさっと炒め、豆腐を加える。

3 調味する
よく混ぜたAを加える。とろみがついたら、にらを加えてさっと混ぜる。

4 盛る
器に盛り、粉山椒をふる。

エネルギー	塩分	たんぱく質	カリウム	リン
153kcal	0.4g	8.7g	270mg	99mg

［おすすめの献立例］

トマトとオレンジのサラダ → p.134

にらと揚げ春雨の中華スープ → p.170

たんぱく質を抑えるコツ

豆腐は木綿より絹ごし
木綿豆腐より絹ごし豆腐のほうが、たんぱく質量が25%程度少なめ。麻婆豆腐のように主菜で豆腐をたくさん使うときは絹ごしにすることで、たんぱく質量を抑えることができます。

主菜 | 大豆のおかず

豆腐は水きりすると味がよくなじむ
豆腐チャンプルー

材料（1人分）

木綿豆腐	100g（1/3丁）
にんじん	5g（0.5cm）
キャベツ	20g（小1/2枚）
サラダ油	小さじ2
ツナ（油漬け缶）	20g
しょうゆ	小さじ1/2

エネルギー	塩分	たんぱく質	カリウム	リン
205kcal	0.6g	10.0g	221mg	131mg

作り方 ［調理時間15分］

1 切る
豆腐は、ペーパータオルに包み、重しをのせて水きりし、7mm厚さに切る。にんじんは短冊切りに、キャベツはざく切りにする。

2 焼く
フライパンに油小さじ1を熱し、豆腐を両面焼きつけて取り出す。

3 加熱する
にんじん、キャベツは耐熱皿に入れてラップをし、電子レンジ（600W）で1分加熱して汁けをきる。

4 炒める
フライパンに残りの油を熱し、**3**、ツナを油ごと入れて炒めて、油が回ったら豆腐を戻して炒め合わせ、しょうゆを回し入れて味を調える。

減塩のコツ
魚の缶詰は汁ごと使いうまみを生かす
ツナなどの缶詰は、スープに素材のうまみが溶け出しているので、汁ごと使うことで、そのうまみと塩味が料理に生かされます。余分な調味料はいりません。

［おすすめの献立例］

 ささがきごぼうと三つ葉のごま和え → p.158

 春雨と大根、にんじんのすまし汁 → p.170

ポン酢しょうゆの塩味と昆布だしでいただく
湯豆腐

材料（1人分）

絹ごし豆腐	150g	(½丁)
水菜	20g	(1株)
しいたけ	12g	(小1枚)
ポン酢しょうゆ	小さじ1	
昆布	小1枚	
水	½カップ	

エネルギー	塩分	たんぱく質	カリウム	リン
99kcal	0.7g	8.9g	507mg	135mg

作り方　[調理時間 10分（だしをとる時間除く）]

1　だしをとる
昆布を30分程度水に漬けておく。

2　切る
豆腐は半分に切る。水菜はざく切りに、しいたけは軸をつけたまま縦半分に切る。

3　煮る
1としいたけを鍋に入れて温める。昆布に泡がついてきたら、豆腐を入れて、水菜を加える。

4　盛る
器に盛り、ポン酢しょうゆをかける。

[おすすめの献立例]

＋
にんじんの甘煮
→p.133

＋
もやしののり和え
→p.147

腎機能を守るコツ

大豆製品で良質なたんぱく質を摂取

ビタミンB群や食物繊維、必須脂肪酸のひとつα-リノレン酸も豊富な大豆製品。どの栄養成分も腎臓病の食事改善には欠かせないものばかりです。

主菜 | 大豆のおかず

ひき肉と豆腐を混ぜてボリュームアップ
豆腐のかば焼き風

材料（1人分）

木綿豆腐	75g（¼丁）
豚ひき肉	20g
片栗粉	小さじ1
のり	1g（⅓枚）
A｜しょうゆ・みりん・酒	各大さじ¼
サラダ油	大さじ½
粉山椒	少々

エネルギー	塩分	たんぱく質	カリウム	リン
172kcal	0.7g	8.8g	185mg	106mg

作り方［調理時間15分］

1 水きりする
豆腐はペーパータオルに包み、重しをのせて水きりする。のりは、3等分に切る。

2 混ぜる
豆腐、ひき肉、片栗粉をよく混ぜ、3等分にしてのりにのばす。

3 焼く
サラダ油を熱したフライパンに、2をのり側から入れる。火が通る程度に両面を焼き、Aを回し入れてからめる。

4 盛る
器に盛り、粉山椒をふる。

［おすすめの献立例］

 春菊のごま和え → p.128 + かぶのすりながし → p.169

ベーコンを巻いてエネルギーアップ
豆腐のベーコン巻き焼き

材料（1人分）

木綿豆腐	100g（⅓丁）
ベーコン	18g（小1枚）
塩	ミニスプーン¼
小麦粉	適量
オリーブ油	小さじ1
しそ	2g（2枚）
わさび	少々

エネルギー	塩分	たんぱく質	カリウム	リン
205kcal	0.7g	9.3g	168mg	135mg

減塩のコツ

加工食品を使って調味料を減らす
ベーコンやハムなどの加工食品は、塩分が多め。これらを使うときは調味料を減らします。加工食品に塩分がついているので、物足りなさは感じられません。

作り方［調理時間10分］

1 切る
豆腐は、2等分にする。ベーコンは半分の長さに切る。

2 巻く
豆腐に塩をふって小麦粉をまんべんなくつけ、ベーコンで巻く。

3 焼く
オリーブ油を熱したフライパンに、2のベーコンの巻き終わりを下にして入れ、両面を香ばしく焼く。

4 盛る
器にしそ、3の順に盛り、わさびを添える。

［おすすめの献立例］

にんじんの甘煮 → p.133

キャベツとコーンのミルクスープ → p.169

主菜 | 大豆のおかず

揚げることでボリュームアップ！　ポン酢とラー油で味がしまる

豆腐と揚げなすの ボリュームサラダ

材料（1人分）

木綿豆腐	100g	(⅓丁)
片栗粉	適量	
なす	40g	(½本)
水菜	10g	(½株)
揚げ油	適量	
A ポン酢しょうゆ	大さじ½	
ラー油（ごま油でも）	小さじ½	

エネルギー	塩分	たんぱく質	カリウム	リン
220kcal	0.7g	7.5g	264mg	114mg

作り方［調理時間15分］

1 水きりする
木綿豆腐はペーパータオルに包み、重しをのせて水きりする。

2 切る
1は1cm厚さに切る。なすは輪切りに、水菜はざく切りにする。

3 揚げる
揚げ油を150度に熱し、なすを素揚げする。油の温度を170度に上げ、片栗粉をまぶした豆腐を薄く色づくまで揚げる。

4 盛る
3と水菜を盛り合わせ、よく混ぜたAをかける。

［おすすめの献立例］

  にんじんのナムル →p.133　＋　 かぶのすりながし →p.169

水煮缶のスープを使って、うす味でもおいしく
あさり入り炒り豆腐

材料（1人分）

あさり（水煮缶）	25g（1/5缶）
絹ごし豆腐	100g（1/3丁）
にんじん	5g（0.5cm）
小ねぎ	5g（1本）
ごま油	大さじ1/2
A だし汁（とり方はp.42参照）	大さじ2
砂糖	小さじ1/2
しょうゆ	小さじ1/2

エネルギー	塩分	たんぱく質	カリウム	リン
146kcal	0.7g	9.6g	212mg	145mg

作り方［調理時間15分］

1 水きりする
豆腐はペーパータオルに包み、重しをおいて水きりする。

2 切る
にんじんはせん切りにし、電子レンジ（600W）で1分加熱する。小ねぎは、小口切りにする。

3 炒める
フライパンにごま油を熱し、にんじんをさっと炒め、1を加えて崩しながら炒める。あさりを缶汁ごと加えてさらに炒め、Aを入れて汁けがなくなるまで炒める。小ねぎを加えて混ぜる。

［おすすめの献立例］

+ もやしののり和え →p.147

+ ミニトマトとわかめのみそ汁 →p.168

主菜 | 大豆のおかず

くずきりを入れてボリュームアップ
焼き豆腐のすき焼き風

材料（1人分）

焼き豆腐	100g（⅓丁）
春菊	30g（3本）
くずきり（乾燥）	15g
白菜	30g（葉大⅓枚）
にんじん	5g（0.5cm）
A　だし汁（とり方はp.42参照）	¾カップ
しょうゆ	小さじ1
砂糖	小さじ1

作り方 [調理時間 **15分**]

1 切る・ゆでる
豆腐は、食べやすい大きさに切る。春菊はゆでてからざく切りにする。くずきりは、表示通り戻す。白菜はそぎ切りにし、にんじんは飾り切り（輪切りでも可）にしてゆでる。

2 煮る
Aを煮立て、**1**を加えて10分程度煮る。

エネルギー	塩分	たんぱく質	カリウム	リン
164kcal	1.1g	9.3g	426mg	166mg

[おすすめの献立例]

 ＋ パプリカの塩昆布和え →p.136

 ＋ たまねぎのから揚げ →p.149

エネルギーアップのコツ

保存がきく乾物を上手に使って

くずきりは煮ものやサラダなどの料理にボリュームを出してくれます。15gで51kcalあることからエネルギーアップにもつながります。

105

豆腐を揚げることでボリュームアップ
揚げ出し豆腐

材料（1人分）

木綿豆腐	100g（⅓丁）
片栗粉	小さじ2
パプリカ(赤)	30g（¼個）
揚げ油	適量
A｜だし汁（とり方はp.42参照）	大さじ2
｜しょうゆ・みりん	各小さじ1
大根おろし	30g

エネルギー	塩分	たんぱく質	カリウム	リン
189kcal	0.9g	7.5g	287mg	116mg

作り方 [調理時間15分]

1 切る
木綿豆腐はペーパータオルに包み、重しをおいて水きりし、2等分にする。パプリカは乱切りにする。

2 揚げる
揚げ油を150度に熱し、パプリカを素揚げする。揚げ油を170度に上げ、片栗粉をまぶした豆腐を薄く色づくまで揚げる。

3 煮立てる
Aを煮立てる。

4 盛る
器に2を盛り、3をかけ、水けをきった大根おろしを添える。

[おすすめの献立例]

+

春菊のごま和え
→p.128

+

もやしのオイスターソース炒め
→p.147

腎機能を守るコツ

大豆製品は動脈硬化を防ぐ

豆腐など大豆製品に含まれる不飽和脂肪酸やレシチン、サポニンには、コレステロール値を下げる作用があります。動脈硬化の予防も期待できるおすすめ食材です。

主菜 | 大豆のおかず

コクのあるオイスターソースあんで減塩
厚揚げのきのこあんかけ

材料（1人分）
厚揚げ	100g（½丁）
えのきたけ	20g（¼パック）
小ねぎ	5g（1本）
ごま油	小さじ1
A｜水	¼カップ
｜オイスターソース	小さじ½

エネルギー	塩分	たんぱく質	カリウム	リン
190kcal	0.3g	10.9g	212mg	177mg

［おすすめの献立例］

 ＋ にんじんの リボンサラダ → p.132  ＋ 白菜の レモン風味 漬け → p.145

作り方［調理時間15分］

1 切る
厚揚げは、食べやすい大きさに切る。えのきたけは、細かくきざむ。小ねぎは小口切りにする。

2 焼く
厚揚げをごま油で両面ともこんがり焼きつける。

3 煮る
小鍋にAとえのきたけを入れてひと煮立ちさせる。

4 盛る
器に2を盛り、3をかけ、小ねぎを散らす。

しょうゆをからめてから焼くのが減塩のコツ

厚揚げのステーキ ガーリック風味

材料（1人分）

厚揚げ	100g（½丁）
にんにく	½かけ
しし唐	18g（3本）
しょうゆ	小さじ⅔
オリーブ油	大さじ½
粗びきこしょう	少々

作り方［調理時間10分］

1 切る
厚揚げは、厚みを半分にするように切る。にんにくは薄切りにし、しし唐はフォークで数か所穴をあける。

2 からめる
厚揚げにしょうゆをからめて、5分くらい置く。

3 焼く
フライパンにオリーブ油、にんにくを入れて弱火で炒める。色づいたら取り出す。同じフライパンにしし唐、汁けを拭いた厚揚げを加えて両面をこんがり焼く。

4 盛る
器に3の厚揚げとしし唐を盛り合わせ、にんにくを散らす。粗びきこしょうをふる。

エネルギー	塩分	たんぱく質	カリウム	リン
207kcal	0.6g	10.9g	210mg	167mg

［おすすめの献立例］

＋ にんじんの甘煮 → p.133

＋ キャベツとコーンのサラダ → p.142

減塩のコツ

香味野菜を減塩の味方に
にんにくのほか、しょうがや三つ葉などの香味野菜は、香りや風味が豊かで、減塩には強い味方です。塩分を控えめにしても、この香りや風味でおいしく食べられます。

主菜｜大豆のおかず

厚揚げは薄く切って味なじみよく
厚揚げのポン酢炒め

材料（1人分）

厚揚げ	100g（½丁）
長ねぎ	50g（½本）
ごま油	大さじ½
ポン酢しょうゆ	小さじ1
七味唐辛子	少々

エネルギー	塩分	たんぱく質	カリウム	リン
218kcal	0.5g	11.0g	232mg	167mg

作り方［調理時間10分］

1 切る
厚揚げは5mmの厚さに切る。ねぎは小口切りにする。

2 炒める
フライパンにごま油を熱し、ねぎがしんなりするまで炒める。厚揚げを加えてさらに炒め、ポン酢しょうゆを加えてからめる。

3 盛る
器に盛り、七味唐辛子をふる。

［おすすめの献立例］

 ＋ ピーマンの焼きびたし →p.136

 ＋ かぶのすりながし →p.169

ボリュームアップのコツ

薄く切って量を多く見せる
厚揚げを薄く切ることで、½丁でもボリュームがあるように見えます。また薄く切ることで味がなじみやすくなるので、減塩してももの足らす味に感じません。

減塩のコツ
あんかけで食べごたえアップ

調味料に片栗粉を加えて「あん」を作り、焼いたり、揚げたりした食材にかけると、舌にあんが残り、味がしっかり感じられます。とろみもつくので食べごたえもアップします。

うす味でもしっかりおいしいもやしのあん
厚揚げのもやしあんかけ

材料（1人分）
厚揚げ	100 g（½丁）
もやし	50 g
サラダ油	大さじ½
A だし汁（とり方はp.42参照）	大さじ3
トマトケチャップ	大さじ½
片栗粉	小さじ1
しょうゆ	小さじ½
粗びきこしょう	少々

エネルギー	塩分	たんぱく質	カリウム	リン
225kcal	0.7g	11.3g	224mg	177mg

作り方［調理時間15分］

1 切る
厚揚げは厚みを半分にして、食べやすい大きさに切る。もやしは、ひげ根をとってさっとゆでる。

2 焼く
フライパンに油を熱し、厚揚げを両面こんがり焼いて、取り出す。

3 煮立たせる
同じフライパンによく混ぜたAを加え、とろみがついたらもやしを加えてひと煮立ちさせる。

4 盛る
器に厚揚げを盛り、3をかける。粗びきこしょうをふる。

［おすすめの献立例］

ちぎりこんにゃくのこしょう炒め → p.162

わかめの炒めナムル風 → p.166

主菜 | 大豆のおかず

生クリームのコクがリッチな一品
厚揚げのクリーム煮

材料（1人分）

厚揚げ	100g（½丁）
たまねぎ	20g（1/10個）
しめじ	25g（¼パック）
バター	小さじ1
顆粒コンソメ	小さじ¼
水	大さじ1
生クリーム	⅛カップ（25mL）
粗びきこしょう	少々
パセリ（みじん切り）	少々

エネルギー	塩分	たんぱく質	カリウム	リン
287kcal	0.4g	11.3g	266mg	203mg

作り方［調理時間15分］

1 切る
厚揚げはサイコロ状に切る。たまねぎは薄切りにし、しめじは食べやすくほぐす。

2 炒める
フライパンにバターを熱し、たまねぎを炒める。しんなりしたら、しめじ、厚揚げを加え、さらに炒める。

3 煮る
2に、コンソメ、水、生クリームを加え、ひと煮し、粗びきこしょうで味を調える。

4 盛る
器に盛り、パセリを散らす。

［おすすめの献立例］

 + ピーマンのきんぴら →p.137 + たたききゅうり →p.155

おろししょうがで風味をプラス
がんもどきの煮もの

材料（1人分）

がんもどき	……………	60g（小2個）
大根	………………	60g（2cm）
A	だし汁（とり方はp.42参照）	
	……………	¼カップ
	しょうゆ・みりん	…各小さじ⅔
おろししょうが	………	少々

エネルギー	塩分	たんぱく質	カリウム	リン
152kcal	0.9g	9.7g	235mg	144mg

作り方[調理時間10分]

1 切る
がんもどきは、熱湯で下ゆでしてから2等分に切る。大根は5mm厚さのいちょう切りにし、水からゆで、やわらかくなったらざるにあげる。

2 煮る
鍋にAを合わせて煮立て、がんもどき、大根を加えて煮含ませる。

3 盛る
器に2を盛り、おろししょうがを添える。

[おすすめの献立例]

+  ほうれん草の松の実炒め →p.129 + マッシュルームのごま酢和え →p.165

※カリウム制限がある場合は、ほうれん草の松の実炒めを、ブロッコリーのチーズ炒め→p.139に変更して下さい。

主菜 | 大豆のおかず

ポン酢しょうゆがしみた油揚げが香ばしい
油揚げのねぎつめ焼き

材料（1人分）

油揚げ	20g（1枚）
長ねぎ	50g（½本）
かつお節	小1パック
サラダ油	大さじ½
ポン酢しょうゆ	大さじ½

エネルギー	塩分	たんぱく質	カリウム	リン
161kcal	0.7g	7.3g	158mg	109mg

作り方 ［調理時間 15分］

1 切る
油揚げは2等分にして、袋状に開く。ねぎは小口切りにする。

2 詰める
ねぎとかつお節を混ぜて、油揚げに詰める。

3 焼く
フライパンに油を熱し、2を両面ともこんがり焼き、ポン酢しょうゆを回し入れてからめる。

減塩のコツ

かつお節にはうまみ成分が豊富
かつお節にはうまみ成分のイノシン酸が豊富で、うまみとコクがアップします。ポン酢しょうゆをよく吸うので、噛んだときに塩味をしっかり感じる効果もあります。

［おすすめの献立例］

 ほうれん草の煮びたし →p.129

 田楽 →p.162

たまねぎと三つ葉でボリュームアップ
大豆のかき揚げ

材料（1人分）

大豆（水煮または蒸し）	50g
たまねぎ	20g（1/6個）
三つ葉	10g（6本）
衣　小麦粉	10g
溶き卵	5g
水	大さじ2
揚げ油	適量
レモン（くし形）	1個
塩	ミニスプーン1/2

エネルギー	塩分	たんぱく質	カリウム	リン
325kcal	0.6g	7.8g	227mg	111mg

作り方 ［調理時間 15分］

1 切る
たまねぎは薄切りに、三つ葉はざく切りにする。

2 揚げる
大豆、たまねぎ、三つ葉を合わせ、衣に加えてさっくり混ぜる。170度の揚げ油に、スプーンなどで丸く入れる。これを2つ作る。

3 盛る
油をきって器に盛り、レモンを添え、塩をふる。

［おすすめの献立例］

 + にんじんのナムル →p.133 + 白菜のレモン風味漬け →p.145

主菜｜大豆のおかず

トマトとベーコンのコクで食べごたえのある一皿
大豆とセロリのトマト煮

材料（1人分）
- 大豆（水煮または蒸し）…60g
- セロリ…………………30g（⅓本）
- トマト水煮（ホール）……50g
- にんにく（みじん切り）…少々
- ベーコン………………10g（½枚）
- オリーブ油……………大さじ½
- 塩………………………ミニスプーン½
- こしょう………………少々
- セロリの葉……………少々

エネルギー	塩分	たんぱく質	カリウム	リン
183kcal	0.8g	9.2g	421mg	151mg

作り方［調理時間15分］

1 切る
セロリはさいの目に、ベーコンは細切りにする。トマト水煮のトマトはつぶしておく。

2 炒める
フライパンにオリーブ油を熱し、にんにくを炒める。にんにくが色づいたらセロリ、ベーコン、大豆を入れてさらに炒め、トマト水煮を加え、煮込む。塩で味を調え、こしょうをふる。

3 盛る
器に盛り、きざんだセロリの葉を散らす。

［おすすめの献立例］

＋
ブロッコリーの塩ごま和え
→p.138

＋
しらたきとピーマンのチャプチェ
→p.163

※カリウム制限がある場合は、ブロッコリーの塩ごま和えを、パプリカの塩昆布和え→p.136に変更して下さい。

減塩のコツ

トマト水煮缶で減塩
トマトの水煮缶は無塩で、トマトの酸味とコクが凝縮されています。これを使って煮込めば、うまみが際立ち、しっかりした味になります。

卵は、ビタミンCと食物繊維以外の主要な栄養成分が含まれる完全栄養食品。鉄も補えるので、1日1個をめどにとりましょう。

卵

半熟卵とチーズをからめてまろやかな味わいに
ほうれん草ソテーの巣ごもり目玉焼き

材料（1人分）

ほうれん草	70 g（2株）
鶏卵	50 g（1個）
バター	小さじ1
粉チーズ	小さじ1
粗びきこしょう	少々

エネルギー	塩分	たんぱく質	カリウム	リン
121 kcal	0.4 g	7.7 g	552 mg	136 mg

［おすすめの献立例］

＋ れんこんの黒こしょう炒め →p.160
＋ なめことえのきのしぐれ煮 →p.164

作り方［調理時間15分］

1 ゆでる・切る
ほうれん草は、ゆでて2cmの長さに切る。

2 炒める
フライパンにバターを熱し、ほうれん草を炒める。

3 焼く
ほうれん草で土手を作り、真ん中に卵を割り入れる。黄身が好みのかたさになるまで焼く。

4 盛る
器に盛り、粉チーズ、粗びきこしょうをふる。

※カリウム制限がある場合は、しらたきとピーマンのチャプチェ（→p.163）とわかめフライ（→p.167）に変更して下さい。

主菜 | 卵のおかず

卵もトマトも油で揚げてエネルギーアップに
揚げ卵のカレーソースがけ

材料（1人分）

ミニトマト	…………	20g（2個）
揚げ油	…………	適量
鶏卵	…………	50g（1個）
キャベツ	…………	30g（葉小1枚）
A	マヨネーズ ………	大さじ1
	カレー粉 ………	小さじ¼

エネルギー	塩分	たんぱく質	カリウム	リン
244kcal	0.4g	6.4g	194mg	110mg

作り方［調理時間 15分］

1 揚げる
ミニトマトは、150度の油で素揚げする。卵は器に割り、180度の油に入れて、白身を寄せながら白く固まるまで揚げる。

2 切る
キャベツは、せん切りにする。Aをよく混ぜておく。

3 盛る
器にせん切りキャベツを盛り、ミニトマトを添え、1の卵をキャベツの上にのせ、Aのソースをかける。

おいしく作るコツ

ミニトマトを素揚げするポイント
ミニトマトには水分が多く含まれているので、揚げすぎると破裂することが。素揚げは、少なめの油にさっとくぐらせる程度に。

［おすすめの献立例］

 にんじんのナムル → p.133

 キャベツとコーンのミルクスープ → p.169

117

忙しい朝にぴったりの簡単オムレツ
もやし入りオムレツ

材料（1人分）

鶏卵	50g（1個）
片栗粉・水	各小さじ1
塩	ミニスプーン½
こしょう	少々
もやし	30g
ごま油	小さじ2

エネルギー	塩分	たんぱく質	カリウム	リン
157kcal	0.8g	6.0g	88mg	94mg

作り方［調理時間10分］

1. **混ぜる**
   卵を割りほぐし、水で溶いた片栗粉を加え、混ぜる。塩、こしょうを加え、さらに混ぜる。
2. **ひげ根を取る**
   もやしは、ひげ根をとり、折る。
3. **焼く**
   フライパンにごま油を熱し、もやしをさっと炒める。1を回し入れて、半熟状になったら形を調える。

［おすすめの献立例］

 かぼちゃの甘煮 →p.140

 オクラと納豆のみそ汁 →p.168

主菜 | 卵のおかず

温玉をからめて、卵のコクで野菜をおいしく

温野菜の温玉サラダ

材料（1人分）

- 鶏卵 …………………… 50 g（1個）
- にんじん ……………… 40 g（4cm）
- ブロッコリー ………… 20 g（大1房）
- かぶ …………………… 35 g（½個）
- A｜ポン酢しょうゆ …… 大さじ½
   ｜オリーブ油 ……… 小さじ1

エネルギー	塩分	たんぱく質	カリウム	リン
138kcal	0.9g	7.1g	369mg	131mg

作り方［調理時間10分］

1 温泉卵をつくる
耐熱カップに卵を割り入れ、水（分量外）をかぶるくらいに入れる。楊枝で黄身に1か所穴をあけ、ラップをせずに電子レンジ（600W）で1分加熱し、穴しゃくしで水をきる。

2 切る
にんじんは輪切りに、ブロッコリーは食べやすい大きさに切り、かぶは半月切りにする。

3 加熱する
2の野菜は、耐熱皿に入れて電子レンジ（600W）で2〜3分加熱して、汁けを捨てる。

4 盛る
3と1を盛り合わせ、よく混ぜておいたAのソースをかける。

［おすすめの献立例］

+ にんじんの甘煮 →p.133

+ たまねぎのから揚げ →p.149

減塩のコツ

しょうゆではなくポン酢しょうゆを使う
ポン酢しょうゆは、しょうゆよりも塩分が低く、たんぱく質も少ない調味料。ポン酢しょうゆの塩分は、しょうゆの約⅔です。

卵とマヨネーズを混ぜて濃厚な味わいに
レタスとふんわり卵炒め

材料（1人分）

鶏卵	50g（1個）
マヨネーズ	小さじ1
レタス	20g（1枚）
サラダ油	小さじ1
粗びきこしょう	少々

エネルギー	塩分	たんぱく質	カリウム	リン
135kcal	0.3g	5.8g	106mg	92mg

作り方［調理時間10分］

1 混ぜる
割りほぐした卵にマヨネーズを加え、混ぜる。

2 ちぎる
レタスは、ちぎる。

3 炒める
フライパンに油を熱し、レタスをさっと炒める。1を回し入れて半熟状に仕上げる。

4 盛る
器に盛り、粗びきこしょうをふる。

［おすすめの献立例］

ブロッコリーのからし和え →p.138

カリフラワーのカレースープ →p.169

エネルギーアップのコツ

マヨネーズはエネルギーアップの味方

マヨネーズは小さじ1（4g）で27kcalと高エネルギーですが、食塩相当量は0.08gと少ないので、エネルギーアップの強い味方です。使う量の目安は1日小さじ1程度に。

主菜｜卵のおかず

だしのうまみで、減塩でもおいしい
だし巻き卵

材料（1人分）
鶏卵 …………………… 50g（1個）
だし汁（とり方はp.42参照）‥ 大さじ2
うすくちしょうゆ・みりん … 各小さじ⅓
サラダ油 ………………… 適量
大根おろし ……………… 30g

作り方［調理時間10分］

1 **混ぜる**
   卵を割りほぐし、だし汁、しょうゆ、みりんを混ぜる。

2 **焼く**
   フライパンに油をなじませ、フライパンの手前半分を使い、1を3回に分けて加えて焼く。

3 **盛る**
   食べやすく切って器に盛り、大根おろしを添える。

エネルギー	塩分	たんぱく質	カリウム	リン
115kcal	0.6g	5.9g	159mg	97mg

うまみの濃いアンチョビで味つけ
アンチョビ風味の
スクランブルエッグ

材料（1人分）
鶏卵 ……………… 50g（1個）
アンチョビ ………… 3g（1切れ）
オリーブ油 ………… 大さじ½
塩 ………………… ミニスプーン½
パセリ（みじん切り）…… 小さじ1

作り方［調理時間10分］

1 **割る**
   卵は、割りほぐしておく。アンチョビは、きざむ。

2 **焼く**
   フライパンにオリーブ油、アンチョビを入れて火にかける。香ばしい香りがしたら、塩、パセリを加えた卵を回し入れて、半熟状になるまで大きく混ぜながら焼く。

エネルギー	塩分	たんぱく質	カリウム	リン
130kcal	0.9g	6.3g	80mg	91mg

くずきりを入れて、食べごたえアップ
くずきり茶碗蒸し

材料（1人分）

鶏卵	50g（1個）
だし汁（とり方はp.42参照）	180mL
塩	ミニスプーン½
しょうゆ	1〜2滴
くずきり（乾）	5g
三つ葉	6g（4本）
しめじ	15g（⅙パック）
かに風味かまぼこ	15g（1本）

エネルギー	塩分	たんぱく質	カリウム	リン
110kcal	1.4g	8.0g	278mg	139mg

作り方［調理時間30分］

1 混ぜる
割りほぐした卵、だし汁、塩、しょうゆを混ぜ合わせる。

2 切る
くずきりは表示通りに戻して、食べやすく切る。三つ葉はざく切りにする。しめじは、食べやすくほぐす。

3 蒸す
器にくずきり、しめじ、かに風味かまぼこを入れ、1を注ぐ。蒸気があがった蒸し器で強火で2分、弱火で13分蒸し、三つ葉をのせて火を止め、30秒蒸らす。

［おすすめの献立例］

＋
にんじんの
リボンサラダ
→p.132

＋
きざみ昆布と
さつまいもの
煮もの
→p.166

※カリウム制限がある場合は、きざみ昆布とさつまいもの煮ものを、ごぼうのトマト煮→p.158に変更して下さい。

減塩のコツ

かに風味かまぼこは塩分が少ないものを選ぶ
かに風味かまぼこは、味つけを兼ねて使える便利な加工食品。商品によって塩分量が違うので、購入するときは、パッケージの表示にある食塩相当量が少ないものを。

主菜 | 卵のおかず

春雨と卵を揚げてエネルギーアップ
揚げ春雨と揚げ卵の中華ソース

材料（1人分）

春雨	15g
揚げ油	適量
鶏卵	50g（1個）
A　しょうゆ・酢・ごま油	各小さじ1
パクチー	少々

作り方［調理時間10分］

1. **揚げる**
春雨を160度の油で素揚げする。
2. **揚げる**
卵を器に割り、180度の揚げ油に入れて、白身を広がらないように寄せながら、白く固まるまで揚げる。
3. **盛る**
器に1と2を盛り合わせ、よく混ぜたAをかけ、パクチーを添える。

エネルギー	塩分	たんぱく質	カリウム	リン
363kcal	1.1g	6.1g	98mg	97mg

刻んだわかめの具でボリュームアップ
わかめ入り卵焼き

材料（1人分）

カットわかめ	1g
鶏卵	50g（1個）
だし汁（とり方はp.42参照）	大さじ2
うすくちしょうゆ・みりん	各小さじ⅓
サラダ油	適量

作り方［調理時間15分］

1. **戻す**
わかめは、水（分量外）で戻し、粗くきざむ。
2. **混ぜる**
割りほぐした卵にだし汁、しょうゆ、みりんを混ぜ、1を加える。
3. **焼く**
フライパンに油をなじませ、2を3回に分けて加えて焼き、食べやすく切る。

エネルギー	塩分	たんぱく質	カリウム	リン
113kcal	0.6g	6.0g	95mg	95mg

いろいろな料理に使える ソース・ドレッシング

市販のものは塩分量が高くなりがちなので、よく使うものは手作りで常備しましょう。塩分量がわかり、安心です。

※材料はすべて作りやすい分量。1食分の目安量は、中華だれのみ小さじ1/2、それ以外は小さじ1です。よく混ぜてからかけてください。各栄養成分は小さじ1目安。

さっぱり系のサラダに
フレンチドレッシング （作りおき 冷蔵で1週間）

酢…1/3カップ、塩…小さじ1/2、砂糖…小さじ1、オリーブ油…1/2カップ

エネルギー	塩分	たんぱく質	カリウム	リン
24kcal	0.1g	0.0g	0mg	0mg

緑黄色野菜にぴったり
ポン酢ドレッシング （作りおき 冷蔵で1週間）

ポン酢しょうゆ…大さじ1、オリーブ油…大さじ1/2、こしょう…少々

エネルギー	塩分	たんぱく質	カリウム	リン
14kcal	0.3g	0.1g	7mg	2mg

かぼちゃやごぼうなどの根菜サラダに
わさびマヨネーズ （作りおき 冷蔵で3～4日間）

マヨネーズ…小さじ2、わさび…小さじ1/4

エネルギー	塩分	たんぱく質	カリウム	リン
26kcal	0.1g	0.1g	3mg	3mg

淡色野菜のサラダに
からしマヨネーズ （作りおき 冷蔵で3～4日間）

マヨネーズ…小さじ2、からし…小さじ1/4

エネルギー	塩分	たんぱく質	カリウム	リン
26kcal	0.1g	0.1g	2mg	3mg

揚げもののほか、淡白な味の食材にもぴったり
ねぎラー油だれ （作りおき 冷蔵で3～4日間）

長ねぎ（みじん切り）…小さじ1、黒酢…小さじ1、しょうゆ…小さじ2/3、ラー油…小さじ1/4

エネルギー	塩分	たんぱく質	カリウム	リン
5kcal	0.2g	0.1g	8mg	3mg

白身魚や鶏肉などにかけて
ごまだれ （作りおき 冷蔵で1週間）

ポン酢しょうゆ・練りごま…各小さじ1

エネルギー	塩分	たんぱく質	カリウム	リン
21kcal	0.2g	0.6g	20mg	22mg

淡白な味わいの食材によく合う
カレーマヨだれ （作りおき 冷蔵で3～4日間）

マヨネーズ…小さじ2、カレー粉…小さじ1/5

エネルギー	塩分	たんぱく質	カリウム	リン
24kcal	0.1g	0.1g	4mg	3mg

どんな料理も中華風に早がわり！
中華だれ （作りおき 冷蔵で1週間）

オイスターソース…小さじ2、しょうゆ・ごま油…各小さじ1

エネルギー	塩分	たんぱく質	カリウム	リン
11kcal	0.4g	0.2g	11mg	5mg

フライにかけたり、ディップにしたりしても
シーザードレッシング （作りおき 冷蔵で3～4日間）

マヨネーズ…大さじ1、粉チーズ・オリーブ油…各小さじ1、おろしにんにく・粗びきこしょう…各少々

エネルギー	塩分	たんぱく質	カリウム	リン
25kcal	0.1g	0.2g	2mg	5mg

野菜のマリネに最適
粒マスタードだれ （作りおき 冷蔵で1週間）

粒マスタード…小さじ1/5、砂糖…小さじ1/2、酢…小さじ1、塩…ミニスプーン1/2、こしょう…少々

エネルギー	塩分	たんぱく質	カリウム	リン
6kcal	0.4g	0.1g	2mg	2mg

Part 4

家にある、簡単に手に入る野菜などを使って
副菜レシピ

ふだんからよく使っていて、簡単に手に入る野菜などのメニューを104品紹介。
たんぱく質は2.7g以下、塩分は0.8g以下、
そしてどのレシピも調理時間が短いものばかりです。

トマトのガーリック炒め（p.134）

【INDEX】
- **緑黄色野菜**…p.128～140
- **淡色野菜**…p.142～155
- **根菜**…p.158～160
- **いも類**…p.161～163
- **きのこ**…p.164～165
- **海藻**…p.166～167

コラム
- 練り製品・加工食品…p.141
- 浅漬け・ピクルス…p.156～157
- 汁もの…p.168～170

キャベツとコーンのサラダ（p.142）

なめことえのきの
しぐれ煮（p.164）

もずく酢の
サンラータン（p.168）

副菜で使う食材の選び方

たんぱく質の少ない野菜やきのこ、海藻を中心に選びます。食物繊維や抗酸化作用があるビタミン類などをバランスよくとることを心がけましょう。

1 食物繊維が多くとれる野菜を選ぶ

食物繊維には、コレステロールや中性脂肪など脂質の吸収を抑える、糖質の吸収を遅くさせて血糖値の急激な上昇を予防する、腸内細菌のバランスを整えて有害物質を吸着・排出させるなどの作用があります。野菜には、食物繊維がたっぷり含まれているので、腎臓を守るのに最適。ただし、野菜にはカリウムも多く含まれるため、腎臓病の進行具合によっては、一定の制限が必要になります（下記）。

1日350gを目標に!

厚生労働省では、生野菜の状態で1日350gとることを推奨している。量の目安は生なら両手いっぱい、加熱した状態なら片手いっぱいほど。加熱してカサを減らす、主菜に添える、スープに入れるなど調理法を工夫をしてたくさんとろう。

▶食物繊維が多い主な野菜

モロヘイヤ	ごぼう	ブロッコリー
5.9g	5.7g	5.1g

（100gあたり「日本食品標準成分表2020年版（八訂）」より）

カリウムの摂取を制限することになったら

カリウムはミネラルのひとつ。野菜や豆類、くだものに多く含まれていて、体内環境を整えたり、血圧を下げたりする効果があります。ただし、慢性腎臓病が進行し腎機能が低下すると、カリウムの摂取を制限されることがあります。カリウムは水に溶けやすい性質をもっているため、ゆでる、水にさらすなど、ひと手間をかけることで摂取量を減らすことができます（→右記）。ゆで汁やさらした水にはカリウムが流れ出ているので、調理には使わず捨てましょう。

ちなみに、煎茶や野菜ジュースなどにもカリウムは含まれているので注意が必要です（p.191参照）。

カリウムを減らす4つのポイント

❶細かく切る
水に接する表面積が大きくなるように、細かく切る。

❷よく水で洗う・さらす
切った野菜を流水で十分に洗うか、水にさらす。たまねぎなど根菜類の場合、30分以上水にさらすとカリウムを約40％減らせることも。

❸ゆでる
野菜を熱湯でゆでるとし、調理前に比べてカリウムが2～5割程度減る。

❹しぼる
水にさらしたり、ゆでたりしたあと、水けをよくしぼることでさらにカリウムを減らせる。

▶カリウムを多く含む主な食材

ほうれん草	さといも	やまいも
690mg	640mg	430mg

（100gあたり。（）内はエネルギー。「日本食品標準成分表2020年版（八訂）」より）

2 抗酸化作用があるものを選ぶ

　日々の生活習慣などが原因で体内に活性酸素が発生してしまうと、腎臓で濾過されない過酸化脂質が増えて体内に蓄積します。これが体に害を及ぼすのですが、活性酸素の発生そのものを抑える働きをするのが、ビタミンやミネラルなどの抗酸化物質です。特にビタミンACE（エース）と呼ばれるビタミンA、C、Eは抗酸化作用が強く、これらを組み合わせて食べると、より吸収がよくなります。

　体内で必要に応じてビタミンAにかわるβ-カロテンは、緑黄色野菜に多く含まれていて、油と一緒にとることで、吸収がよくなります。ビタミンCは免疫力を高める作用がありますが、体内では作られないので野菜やくだものを食べることでしか摂取できません。酸化しやすく加熱すると成分が失われるので、新鮮なうちに生で食べるのがよいでしょう。ビタミンEは酸化を予防して老化をおさえる働きがあり、やはり油と一緒にとることで吸収がよくなります。

▶ビタミンAを多く含む主な食材

ほうれん草　　かぼちゃ　　にんじん

▶ビタミンCを多く含む主な食材

ブロッコリー　　パプリカ　　いちご

▶ビタミンEを多く含む主な食材

うなぎの蒲焼き　　アーモンド　　オリーブ油

3 食物繊維の多い海藻やきのこを選ぶ

　海藻やきのこ、こんにゃくにも食物繊維は多く含まれています。成分のほとんどが水分のため、エネルギーを気にせず食べることができます。海藻やこんにゃくは、コレステロールの吸収を抑える水溶性食物繊維が豊富で、ミネラルやビタミンも多く含まれています。きのこは不溶性食物繊維が多く、噛みごたえがあるので、満腹感を得やすいのが特徴です。

　ただし海藻にはカリウムが多く含まれているので、使用量には十分注意しましょう。

▶食物繊維が多い主な海藻・きのこ・こんにゃく

ぶなしめじ　　しいたけ　　まいたけ　　ひじき（ゆで）　　わかめ（生）　　こんにゃく（板）
3.0g(26kcal)　4.9g(25kcal)　3.5g(22kcal)　3.7g(11kcal)　3.6g(24kcal)　2.2g(5kcal)

（100gあたり。（ ）内はエネルギー。「日本食品標準成分表2020年版（八訂）」より）

β-カロテンやビタミンCなどのビタミン類を多く含むのが特徴。抗酸化作用の働きで、血液の流れをよくしてくれるので、腎臓の血管を守る効果が期待できます。

青菜 （小松菜、春菊、ほうれん草、チンゲン菜など）

にんにくの香りで、うす塩でもおいしく
小松菜のガーリック炒め

材料（1人分）

小松菜	50g（1株）
にんにく	少々
唐辛子（小口切り）	少々
オリーブ油	小さじ1
塩	ミニスプーン¼
こしょう	少々

＊小松菜はほかの青菜にかえても可

作り方 ［調理時間5分］

1. 小松菜は、さっとゆでて食べやすい大きさに切る。にんにくはみじん切りにする。
2. フライパンににんにくと唐辛子、オリーブ油を入れ、弱火にかける。香りが立ったら、小松菜を加えて炒め、塩、こしょうを加えて味を調える。

エネルギー	塩分	たんぱく質	カリウム	リン
45kcal	0.3g	0.7g	270mg	25mg

黒ごまのコクが春菊の香りを引き立たせる
春菊のごま和え

材料（1人分）

春菊	50g（小2株）
黒すりごま	小さじ1
砂糖・しょうゆ	各小さじ½

＊春菊はほかの青菜にかえても可

作り方 ［調理時間5分］

1. 春菊はゆでて、食べやすい大きさに切る。
2. 黒すりごま、砂糖、しょうゆを合わせ、1を加えて和える。

エネルギー	塩分	たんぱく質	カリウム	リン
30kcal	0.5g	1.5g	250mg	38mg

副菜 | 青菜

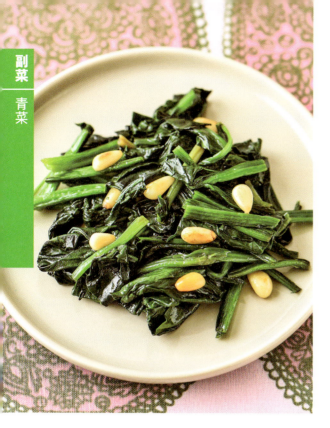

エネルギー	塩分	たんぱく質	カリウム	リン
54kcal	0.4g	1.2g	363mg	34mg

松の実がなければ、くるみやピーナッツで代用して
ほうれん草の松の実炒め

材料（1人分）
ほうれん草 ………… 50g（小2株）
ごま油 ……………… 小さじ1
松の実 ……………… 小さじ1
しょうゆ …………… 小さじ½
＊ほうれん草はほかの青菜にかえても可

作り方 ［調理時間5分］
1. ほうれん草は、さっとゆでて食べやすい大きさに切る。
2. フライパンにごま油を熱し、松の実を加えて炒める。香りが立ったら、ほうれん草を加えて炒め、仕上げにしょうゆで味を調える。

減塩のコツ

炒めて香ばしさを出す
松の実やくるみなどの木の実をごま油で一緒に炒めることで、香ばしい香りが加わります。食欲が刺激され、塩分控えめでもおいしく感じられます。

だしのうまみで減塩できる
ほうれん草の煮びたし

材料（1人分）
ほうれん草 ………… 50g（小2株）
だし汁（とり方はp.42参照）‥¼カップ
しょうゆ・みりん …… 各小さじ½
かつお節 …………… 少々
＊ほうれん草はほかの青菜にかえても可

作り方 ［調理時間10分］
1. ほうれん草は、さっとゆでて食べやすい大きさに切る。
2. 鍋にだし汁、しょうゆ、みりんを加えて火にかける。煮立ったら、ほうれん草を加えてさっと煮る。
3. 器に盛り、かつお節をふる。

エネルギー	塩分	たんぱく質	カリウム	リン
19kcal	0.5g	1.8g	397mg	42mg

ゆでてから炒めてカリウムを減らす
チンゲン菜の中華炒め煮

材料（1人分）

チンゲン菜	…………………	50g（½株）
ごま油	……………	小さじ1
A 酒	……………	小さじ1
オイスターソース	…	小さじ½

＊チンゲン菜はほかの青菜にかえても可

作り方 ［調理時間5分］

1. チンゲン菜は、ゆでて食べやすい大きさに切る。
2. フライパンにごま油を熱し、チンゲン菜を炒め、Aで味を調える。

エネルギー	塩分	たんぱく質	カリウム	リン
44kcal	0.4g	0.5g	138mg	17mg

からしの風味でおいしく減塩
菜の花のからし和え

材料（1人分）

菜の花	…………………	50g（¼束）
しょうゆ	……………	小さじ½
だし汁（とり方はp.42参照）	…	小さじ1
練りからし	…………	少々

＊菜の花はほかの青菜にかえても可

作り方 ［調理時間5分］

1. 菜の花は、ゆでて食べやすい大きさに切る。
2. しょうゆとだし汁を合わせ、練りからしをとき、菜の花と和える。

エネルギー	塩分	たんぱく質	カリウム	リン
23kcal	0.5g	2.1g	212mg	50mg

> **減塩のコツ**
>
> **香辛料を使ってメリハリをつける**
> からしやわさびなどの香辛料を使うと、ピリリとする辛さで味にメリハリがつき、減塩してもうす味が気になりません。ただし、使いすぎには注意しましょう。

副菜 | 青菜・水菜

水菜

シャキシャキした食感が人気の京野菜。青菜と同じくβ-カロテンやビタミンCが豊富で抗酸化作用があります。

だしを吸った油揚げがジューシー
水菜と油揚げの煮もの

材料（1人分）

- 水菜 ………………… 50g（1株）
- 油揚げ ……………… 6g（⅕枚）
- A｜だし汁（とり方はp.42参照）
　　　………………… ½カップ
　　｜しょうゆ ………… 小さじ½
　　｜みりん …………… 小さじ1
- 七味唐辛子 ………… 少々

作り方［調理時間5分］

1. 水菜は食べやすい大きさに切る。油揚げは短冊切りにする。
2. Aを煮立て、水菜、油揚げを加えてさっと煮る。
3. 器に盛り、七味唐辛子をふる。

エネルギー	塩分	たんぱく質	カリウム	リン
46kcal	0.6g	2.7g	321mg	71mg

あっさりした水菜にのりを和えてコクを出す
水菜ののり和え

材料（1人分）

- 水菜 ………………… 50g（1株）
- のり ………………… 0.8g（¼枚）
- A｜だし汁（とり方はp.42参照）
　　　………………… 小さじ1
　　｜しょうゆ ………… 小さじ⅓

作り方［調理時間5分］

1. 水菜はゆでて3cm長さに切る。のりは食べやすい大きさにちぎる。
2. Aをよく混ぜ、1と和える。

エネルギー	塩分	たんぱく質	カリウム	リン
15kcal	0.4g	1.3g	270mg	41mg

抗酸化作用のあるβ-カロテンが豊富なので、動脈硬化の予防に効果があり、腎臓にもやさしい食材。油と一緒に調理することで、β-カロテンの吸収がよくなります。

にんじん

甘ずっぱい味つけでおいしく減塩
キャロットラペ

材料（1人分）
にんじん…………… 50g（小1/3本）
砂糖 ……………… 小さじ1
パセリ …………… 少々
レーズン ………… 少々
フレンチドレッシング（作り方はp.124参照）
　……………………… 大さじ1/2
カレー粉 ………… 少々

作り方［調理時間15分］
1. にんじんはせん切りにしてゆで、砂糖をなじませる。
2. 1の汁けをしぼり、みじん切りにしたパセリ、レーズンを合わせ、カレー粉を混ぜたフレンチドレッシングと和える。

エネルギー	塩分	たんぱく質	カリウム	リン
73kcal	0.2g	0.4g	169mg	16mg

ドレッシングは食べる直前にかけるのがポイント
にんじんのリボンサラダ

材料（1人分）
にんじん…………… 50g（小1/3本）
三つ葉……………… 4.5g（3本）
ポン酢しょうゆ・ごま油
　………………………… 各小さじ1

作り方［調理時間10分］
1. にんじんは、ピーラーでスライスしてゆでる。三つ葉はゆでてざく切りにする。
2. 器ににんじんと三つ葉を盛り合わせ、混ぜておいたポン酢しょうゆとごま油を食べる直前に回しかける。

エネルギー	塩分	たんぱく質	カリウム	リン
55kcal	0.5g	0.5g	168mg	18mg

副菜｜にんじん

ゆでることでカリウムが10%減
にんじんの甘煮

材料（1人分）

にんじん ………………… 50g（小⅓本）
だし汁（とり方はp.42参照）… ¼カップ
うすくちしょうゆ ……… 小さじ½
砂糖 ……………………… 小さじ1

作り方［調理時間20分］

1 にんじんは、輪切りにする。
2 小鍋にだし汁、うすくちしょうゆ、砂糖、にんじんを加え、紙ぶた（落としぶた）をする。にんじんがやわらかくなるまで煮る。

エネルギー	塩分	たんぱく質	カリウム	リン
30kcal	0.6g	0.5g	176mg	23mg

ねぎが味のアクセントに
にんじんのナムル

材料（1人分）

にんじん ………………… 50g（小⅓本）
A｜酢 …………………… 小さじ1
　｜ごま油 ……………… 小さじ1
　｜しょうゆ …………… 小さじ½
　｜おろしにんにく …… 少々
長ねぎ（みじん切り） …… 少々
いりすりごま（白） ……… 少々

作り方［調理時間10分］

1 にんじんはせん切りにして、ゆでる。
2 1とA、ねぎを加えて和える。器に盛り、すりごまをふる。

エネルギー	塩分	たんぱく質	カリウム	リン
58kcal	0.5g	0.6g	153mg	21mg

バターの塩けを活用して
にんじんとコーンのソテー

材料（1人分）

にんじん ………………… 50g（小⅓本）
ホールコーン …………… 20g
バター …………………… 小さじ1
塩 ………………………… ミニスプーン⅓
こしょう ………………… 少々

作り方［調理時間15分］

1 にんじんは1cm角に切り、ゆでる。
2 フライパンにバターを熱し、にんじん、ホールコーンを加えて炒める。塩、こしょうで味を調える。

エネルギー	塩分	たんぱく質	カリウム	リン
59kcal	0.6g	0.8g	163mg	21mg

トマトの赤い色素リコピンには、強力な抗酸化作用があります。加熱調理しても効果が薄れず、油と組み合わせることで吸収率がアップします。

トマト

フルーティーな甘みと酸味でいただく
トマトとオレンジのサラダ

材料（1人分）

トマト ……………… 100g（小1個）
オレンジ …………… 30g（¼個）
フレンチドレッシング（作り方はp.124参照）
　……………… 小さじ2

作り方［調理時間10分］

1. トマトはざく切りにする。オレンジは小房に分け、1房を3等分にする。
2. 1とフレンチドレッシングを和える。

エネルギー	塩分	たんぱく質	カリウム	リン
80kcal	0.2g	0.7g	252mg	33mg

おいしく作るコツ

完熟しているトマトは栄養価が高い
リコピンは、熟すほど多くなります。トマトの赤みが少ないときは熟すまで待ってから食べましょう。

炒めることでトマトのうまみが増す
トマトのガーリック炒め

材料（1人分）

トマト ……………… 100g（小1個）
オリーブ油 ………… 小さじ1
にんにく（みじん切り）… 少々
塩 …………………… ミニスプーン⅓
粗びきこしょう ……… 少々

作り方［調理時間10分］

1. トマトはくし形に切る。
2. フライパンにオリーブ油、にんにくを弱火で熱し、にんにくが色づいたらトマトを加えてさっと炒める。塩で味を調え、器に盛り、粗びきこしょうをふる。

エネルギー	塩分	たんぱく質	カリウム	リン
57kcal	0.4g	0.5g	213mg	27mg

134

副菜 | トマト

たまねぎドレッシングはほかのサラダにもおすすめ
トマトとたまねぎの和風サラダ

材料（1人分）
トマト	……………	100g（小1個）
たまねぎ（みじん切り）	…	大さじ1
A｜酢・ごま油	………	各小さじ1
｜しょうゆ	…………	小さじ½

作り方［調理時間5分］
1. トマトは輪切りにする。たまねぎは水にさらして水けをよくきる。
2. たまねぎとAを合わせ、器に並べたトマトにかける。

エネルギー	塩分	たんぱく質	カリウム	リン
62kcal	0.4g	0.8g	237mg	34mg

トマトのかわりに青菜を使ってもおいしい
ミニトマトのごま酢和え

材料（1人分）
ミニトマト	……………	50g（5個）
すりごま（黒）・酢	……	各小さじ1
しょうゆ	……………	小さじ⅓

作り方［調理時間10分］
1. ミニトマトは半分に切る。
2. 1とすりごま、酢、しょうゆを和える。

エネルギー	塩分	たんぱく質	カリウム	リン
36kcal	0.3g	1.1g	165mg	35mg

ほどよい甘みで作りおきもOK
ミニトマトのはちみつ漬け

材料（1人分）
ミニトマト	……………	50g（5個）
A｜はちみつ	…………	小さじ1
｜しょうゆ	…………	小さじ½

作り方［調理時間15分］
1. ミニトマトは、小さいフォークなどで少し穴をあける。
2. 混ぜたAに1を10分以上なじませる。

作りおき 冷蔵で3〜4日間

エネルギー	塩分	たんぱく質	カリウム	リン
40kcal	0.4g	0.6g	161mg	20mg

ピーマン・パプリカ

ピーマンの香りには血流を改善する効果が。パプリカの赤、黄、オレンジ色には、体内の酸化を抑えて動脈硬化を防ぐ作用があります。腎臓にやさしい野菜のひとつ。

かつお節の風味で味に深みを
ピーマンの焼きびたし

材料（1人分）

ピーマン	60g（2個）
サラダ油	小さじ1
だし汁（とり方はp.42参照）	1/3カップ
しょうゆ・みりん	各小さじ1/2
かつお節	少々

作り方［調理時間10分］

1. ピーマンはヘタとタネをとり、縦に4等分に切る。
2. フライパンに油を熱し、ピーマンの表面に焼き色をつける。
3. 2にだし汁、しょうゆ、みりんを加えて、ピーマンがやわらかくなるまで煮る。
4. 器に盛り、かつお節を散らす。

エネルギー	塩分	たんぱく質	カリウム	リン
55kcal	0.5g	0.8g	169mg	28mg

塩昆布とごま油で和えるだけ
パプリカの塩昆布和え

材料（1人分）

パプリカ（赤）	50g（1/2個弱）
塩昆布	1.5g
ごま油	小さじ1/2

作り方［調理時間10分］

1. パプリカはヘタとタネをとり、横にせん切りにし、さっとゆでる。
2. 1に塩昆布、ごま油を加えて和える。

エネルギー	塩分	たんぱく質	カリウム	リン
35kcal	0.3g	0.7g	132mg	14mg

副菜 | ピーマン・パプリカ

せん切りにすることで味がよくからむ
ピーマンのきんぴら

材料（1人分）

ピーマン ……………… 60 g（2個）
ごま油 ………………… 小さじ1
A｜しょうゆ・砂糖 ……各小さじ½
いりごま …………… 少々

作り方［調理時間5分］

1 ピーマンはヘタとタネをとり、せん切りにする。

2 フライパンにごま油を熱し、ピーマンを炒める。全体に油が回ったら、Aで味を調え、汁けをとばす。

3 器に盛り、いりごまをふる。

エネルギー	塩分	たんぱく質	カリウム	リン
59kcal	0.4g	0.7g	128mg	21mg

アンチョビの塩けとうまみにこしょうをきかせて
パプリカのアンチョビ炒め

材料（1人分）

パプリカ（黄） ……… 50 g（½個弱）
オリーブ油 ………… 小さじ1
アンチョビ ………… 1.5 g（½切れ）
こしょう …………… 少々

作り方［調理時間5分］

1 パプリカはヘタとタネをとり、小さめの乱切りにする。

2 フライパンにオリーブ油とアンチョビを加えて炒める。香りが立ったら、パプリカを加えて炒め、こしょうをふる。

エネルギー	塩分	たんぱく質	カリウム	リン
52kcal	0.2g	0.6g	102mg	13mg

減塩のコツ

アンチョビは調味料として使う
アンチョビは、かたくちいわしの塩漬けをオリーブ油に漬けたもの。塩分が高いので食材のひとつとして使うのは難しいのですが、少量なら調味料がわりになります。香りがよく、味に深みが出ます。

抗酸化作用のあるビタミンC、E、β-カロテンが豊富に含まれ、動脈硬化などの予防に効果的。加熱しすぎるとビタミンCが半減するので、ゆで時間は短めに。

ブロッコリー

ごまの風味が、うす塩味をひきたてる
ブロッコリーの塩ごま和え

材料（1人分）

ブロッコリー	50g（¼個弱）
すりごま	小さじ½
塩	ミニスプーン⅓
ごま油	小さじ½

作り方 [調理時間5分]

1. ブロッコリーは小房に分け、下ゆでする。
2. 1にすりごま、塩、ごま油を加えて和える。

エネルギー	塩分	たんぱく質	カリウム	リン
45kcal	0.4g	2.2g	237mg	63mg

減塩のコツ

ごまは、することで風味とコクが生まれる
ごまには特有の成分で、高い抗酸化作用をもつセサミンが豊富。することで、ごま独特の風味とコクが生まれるため、塩味がうすくてももの足りなさを感じません。

からしをきかせて、うす味でもおいしく
ブロッコリーのからし和え

材料（1人分）

ブロッコリー	50g（¼個弱）
しょうゆ	小さじ⅓
だし汁（とり方はp.42参照）	小さじ1
練りがらし	小さじ¼

作り方 [調理時間5分]

1. ブロッコリーは小房に分け、下ゆでする。
2. 1に、しょうゆとだし汁でのばした練りがらしを加えて和える。

エネルギー	塩分	たんぱく質	カリウム	リン
25kcal	0.4g	2.1g	244mg	61mg

副菜 | ブロッコリー

チーズの塩けとコクがポイント
ブロッコリーのチーズ炒め

材料（1人分）

ブロッコリー	50g（¼個弱）
オリーブ油	小さじ1
粉チーズ	小さじ1
塩	ミニスプーン¼
こしょう	少々

作り方［調理時間10分］

1. ブロッコリーは小房に分けて、下ゆでし、小さめに切る。
2. フライパンにオリーブ油を熱し、1を加えて炒める。粉チーズ、塩、こしょうで味を調える。

エネルギー	塩分	たんぱく質	カリウム	リン
63kcal	0.4g	2.7g	233mg	72mg

フライドオニオンの食感が楽しい
ブロッコリーとフライドオニオンのサラダ

材料（1人分）

ブロッコリー	50g（¼個弱）
フライドオニオン	3g
ミニトマト	10g（1個）
フレンチドレッシング（作り方はp.124参照）	小さじ1

作り方［調理時間10分］

1. ブロッコリーは小房に分け、下ゆでする。ミニトマトは4等分に切る。
2. 器に1とフライドオニオンを盛り合わせ、フレンチドレッシングをかける。

エネルギー	塩分	たんぱく質	カリウム	リン
48kcal	0.1g	2.0g	265mg	59mg

抗酸化作用が強いビタミンC、E、β-カロテンが豊富。特にβ-カロテンは、皮にも含まれているので、ごつごつした部分だけを取り除いてまるごと食べましょう。

かぼちゃ

揚げることで甘みが際立つ
揚げかぼちゃ

材料（1人分）

かぼちゃ	50g（1/24個）
揚げ油	適量
塩	ミニスプーン1/4
粉チーズ	小さじ1/2

作り方［調理時間10分］

1. かぼちゃはいちょう切りにする。
2. かぼちゃを160度の油で素揚げする。
3. 器に盛りつけて、塩、粉チーズをふる。

エネルギー	塩分	たんぱく質	カリウム	リン
74kcal	0.3g	1.0g	227mg	30mg

減塩のコツ

チーズのコクで満足感アップ

チーズにはコクも塩分もあるため、少量使うだけでも満足感がアップします。また脂質も多いので、エネルギー量不足を補うこともできます。

甘めの味つけでエネルギーアップ
かぼちゃの甘煮

材料（作りやすい分量・5食分）

かぼちゃ	250g（1/5個）
だし汁（とり方はp.42参照）	3/4カップ
みりん	大さじ1
うすくちしょうゆ	小さじ1

作り方［調理時間20分］

1. かぼちゃはひと口大に切る。
2. 鍋にだし汁、みりん、うすくちしょうゆ、かぼちゃを入れて、落としぶたをする。かぼちゃがやわらかくなるまで煮る。

エネルギー	塩分	たんぱく質	カリウム	リン
41kcal	0.2g	0.7g	248mg	27mg

（1食分あたり）

140

さば缶とキャベツチャンプルー

練り製品・加工食品

塩分が多いため敬遠されがちですが、練り製品や加工食品そのものの味を生かせば、主菜、副菜ともにおいしく食べられます。

副菜

さば缶とキャベツチャンプルー

材料（1人分）
さば缶…30ｇ、キャベツ…50ｇ、もやし…10ｇ、サラダ油…小さじ1、粗びきこしょう…少々

作り方[調理時間10分]
フライパンに油を熱し、ざく切りにしたキャベツとひげ根をとったもやしを炒め、さば缶を加えてさらに炒め、粗びきこしょうをふる。

エネルギー	塩分	たんぱく質	カリウム	リン
100kcal	0.3g	5.8g	185mg	73mg

かにかまときゅうりのマヨ和え

材料（1人分）
かに風味かまぼこ…½本（10ｇ）、きゅうり…40ｇ、マヨネーズ…大さじ½、こしょう…少々

作り方[調理時間5分]
割いたかに風味かまぼことせん切りにしたきゅうり、マヨネーズとこしょうを和える。

エネルギー	塩分	たんぱく質	カリウム	リン
54kcal	0.3g	1.5g	89mg	26mg

ロースハム、セロリ、春雨のサラダ

材料（1人分）
ロースハム…10ｇ（½枚）、セロリ…30ｇ、春雨…5ｇ、A（酢…小さじ1、ごま油…小さじ1、しょうゆ…小さじ¼、砂糖…小さじ¼）

作り方[調理時間15分]
ロースハムは1cm幅の短冊切り、セロリは斜め薄切りにし、春雨は表示通りに戻して食べやすく切る。これらをAで和える。

エネルギー	塩分	たんぱく質	カリウム	リン
83kcal	0.5g	1.8g	159mg	43mg

主菜

コンビーフとレタスの炒めもの

材料（1人分）
コンビーフ…50ｇ、レタス…20ｇ（1枚）、オリーブ油…小さじ1、粗びきこしょう…少々

作り方[調理時間5分]
フライパンにオリーブ油を熱し、コンビーフを炒め、脂が出てきたら、ちぎったレタスを加え、粗びきこしょうをふる。

エネルギー	塩分	たんぱく質	カリウム	リン
134kcal	0.9g	9.2g	95mg	64mg

ちくわの磯辺揚げ

材料（1人分）
ちくわ…2本（60ｇ）、衣（小麦粉・水…各大さじ2、青のり…小さじ⅕）、揚げ油…適量

作り方[調理時間10分]
斜め半分に切ったちくわに衣をからめ、170度の揚げ油で揚げる。

エネルギー	塩分	たんぱく質	カリウム	リン
198kcal	1.3g	8.2g	79mg	77mg

ソーセージのジャーマンポテト

材料（1人分）
ソーセージ…40ｇ（2本）、じゃがいも…90ｇ（小1個）、オリーブ油…小さじ1、粗びきこしょう…少々

作り方[調理時間10分]
ソーセージは斜めに切る。じゃがいもはラップをして電子レンジ（600W）で2分加熱し、いちょう切りにする。フライパンにオリーブ油を熱し、ソーセージを炒め、脂が出てきたらじゃがいもを加え、粗びきこしょうをふる。

エネルギー	塩分	たんぱく質	カリウム	リン
216kcal	0.8g	5.4g	441mg	122mg

ビタミンCが豊富で、動脈硬化予防効果が期待できます。キャベツに含まれるキャベジンには、胃を守る働きも。カリウム制限がある人は、ゆでてから調理を。

キャベツ

せん切りにしてドレッシングとなじみやすく
キャベツとコーンのサラダ

材料（1人分）

キャベツ …………… 50g（葉1枚）
　塩 …………… ミニスプーン1/3
コーン …………… 15g
フレンチドレッシング（作り方はp.124参照）
　…………… 大さじ1/2

作り方 [調理時間10分]

1. キャベツはせん切りにする。
2. キャベツに塩をふり、しんなりしたら水けをしぼる。
3. コーンを加え、フレンチドレッシングで和える。

エネルギー	塩分	たんぱく質	カリウム	リン
58kcal	0.4g	0.8g	120mg	20mg

しょうゆは数滴でも、しらすの塩分でおいしく
キャベツのしらす和え

材料（1人分）

キャベツ …………… 70g（葉1 1/2枚）
しらす干し …………… 10g
だし汁（とり方はp.42参照）
　…………… 小さじ2
しょうゆ …………… 1～2滴

作り方 [調理時間10分]

1. キャベツはざく切りにし、ゆでる。しらす干しは湯通しする。
2. 1とだし汁、しょうゆを和える。

エネルギー	塩分	たんぱく質	カリウム	リン
27kcal	0.5g	2.7g	165mg	69mg

副菜 キャベツ

クミンの香りでエスニックな味わいに
キャベツのクミン和え

材料（1人分）

- キャベツ …………… 70g（葉1½枚）
- 塩 ………………… ミニスプーン⅓
- マヨネーズ ………… 大さじ½
- クミン ……………… ひとつまみ

作り方 ［調理時間15分］

1. キャベツはざく切りにし、塩もみして水けをしぼる。クミンは乾煎りする。
2. 1にマヨネーズを加えて和える。

エネルギー	塩分	たんぱく質	カリウム	リン
55kcal	0.3g	0.8g	143mg	23mg

カリウムが溶け出した煮汁は残すこと
キャベツの煮びたし

材料（1人分）

- キャベツ …………… 70g（葉1½枚）
- だし汁（とり方はp.42参照）
  ………………… ¼カップ
- しょうゆ・みりん …… 各小さじ½

作り方 ［調理時間15分］

1. キャベツはざく切りにする。
2. 鍋にだし汁、しょうゆ、みりんを熱し、キャベツを加えてしんなりするまで煮る。

エネルギー	塩分	たんぱく質	カリウム	リン
22kcal	0.5g	0.9g	183mg	30mg

塩昆布の塩けとうまみでいただく
キャベツの塩昆布和え

材料（1人分）

- キャベツ …………… 70g（葉1½枚）
- 塩昆布 ……………… 1.5g
- ごま油 ……………… 小さじ½
- ごま ………………… 少々

作り方 ［調理時間10分］

1. キャベツはせん切りにする。
2. キャベツに塩昆布を加えてなじませる。
3. 器に盛り、ごま油をかけ、ごまをふる。

エネルギー	塩分	たんぱく質	カリウム	リン
38kcal	0.3g	1.0g	169mg	24mg

低エネルギーなので、減量中でもしっかり食べられます。ただしカリウムが多く含まれているので、カリウム制限のある人は、ゆでてから調理を。

白菜

しょうがの風味で、うす味でもおいしく
白菜のしょうが煮

材料（1人分）
白菜 …………… 50g（葉大½枚）
しょうが …………… 少々
だし汁（とり方はp.42参照）
　　　　………………… ¼カップ
しょうゆ …………… 小さじ¼

作り方［調理時間15分］
1. 白菜は、軸はそぎ切りに、葉はざく切りにする。しょうがはせん切りにする。
2. 鍋にだし汁、しょうゆ、しょうがを入れて火にかける。白菜を入れて10分程度煮る。

エネルギー	塩分	たんぱく質	カリウム	リン
9kcal	0.3g	0.5g	150mg	26mg

からしを混ぜながら食べる
白菜のマヨネーズ和え

材料（1人分）
白菜 …………… 50g（葉大½枚）
塩 …………… ミニスプーン¼
マヨネーズ …………… 小さじ1
からし …………… 少々

作り方［調理時間15分］
1. 白菜は、軸は棒状に切り、葉はざく切りにする。
2. 白菜に塩をなじませ、しんなりしたらマヨネーズで和える。
3. 器に盛り、からしをのせる。

エネルギー	塩分	たんぱく質	カリウム	リン
35kcal	0.4g	0.4g	112mg	20mg

副菜 | 白菜

しょうゆのかわりにオイスターソースで20％以上減塩
白菜のオイスターソース炒め

材料（1人分）

白菜 …………………… 50g（葉大½枚）
ごま油 ………………… 小さじ½
A ┌ 酒・水 ………… 各小さじ1
　└ オイスターソース … 小さじ½

作り方[調理時間15分]

1. 白菜は、軸はそぎ切りに、葉はざく切りにする。
2. 白菜をごま油で炒め、Aで味を調える。

エネルギー	塩分	たんぱく質	カリウム	リン
28kcal	0.3g	0.5g	118mg	20mg

レモンの酸味が白菜のうまみをひきたてる
白菜のレモン風味漬け

材料（1人分）

白菜 …………………… 50g（葉大½枚）
塩 ……………………… ミニスプーン¼
レモン（薄いいちょう切り）…3枚

作り方[調理時間30分]

1. 白菜は、軸はそぎ切り、葉はざく切りにする。
2. 白菜に塩をふり、レモンをおいて30分程度なじませる。

エネルギー	塩分	たんぱく質	カリウム	リン
9kcal	0.3g	0.3g	117mg	17mg

減塩のコツ

レモンの酸味が塩けを引き立てる

レモンの酸味をプラスすることで、塩分控えめでもおいしく食べられます。生活習慣病予防に効果があるビタミンCが豊富なのでレモンも残さず食べましょう。

もやし

低エネルギーで食物繊維が豊富なので、ダイエットにも最適。もやしは水からゆでるのが基本。ゆでるとカリウムを70〜80%減らせます。

塩分ゼロのカレー粉で風味よく
もやしのカレー煮

材料（1人分）
- もやし ……………… 80g
- A
  - 水 ……………… ¼カップ
  - カレー粉 ………… 少々
  - 塩 ……………… ミニスプーン¼

作り方［調理時間10分］
1. 鍋にもやしとAを入れて火にかける。
2. もやしがしんなりするまで5分くらい煮る。

エネルギー	塩分	たんぱく質	カリウム	リン
13kcal	0.3g	1.0g	61mg	21mg

冷蔵で3日もつから常備菜としても便利
もやしの甘酢漬け

作りおき 冷蔵で3日間

材料（1人分）
- もやし ……………… 80g
- A
  - 酢 ……………… 大さじ½
  - 砂糖 …………… 小さじ½
  - 塩 ……………… ミニスプーン¼
- いりごま …………… 少々

作り方［調理時間5分］
1. もやしを3分程度ゆでる。
2. もやしの水けをきり、熱いうちにAに漬ける。
3. 器に盛り、いりごまをふる。

エネルギー	塩分	たんぱく質	カリウム	リン
23kcal	0.3g	1.1g	58mg	23mg

副菜｜もやし

オイスターソースでおいしく減塩
もやしのオイスターソース炒め

材料（1人分）
もやし	80ｇ
にんにく（みじん切り）	少々
サラダ油	小さじ1
A　酒	小さじ½
オイスターソース	小さじ½
こしょう	少々

作り方 ［調理時間5分］
1. フライパンに油とにんにくを熱し、香りが立ってきたら、もやしを入れて炒める。
2. もやしに火が通ったら、Aを回し入れてからめる。
3. 器に盛り、こしょうをふる。

エネルギー	塩分	たんぱく質	カリウム	リン
52kcal	0.3g	1.2g	66mg	25mg

のりのうまみがトロリとからむ
もやしののり和え

材料（1人分）
もやし	80ｇ
塩	ミニスプーン¼
ごま油	小さじ½
のり	1ｇ

作り方 ［調理時間5分］
1. もやしを3分程度ゆでる。
2. もやしの水けをきって塩をふり、ごま油、ちぎったのりを加えて和える。

エネルギー	塩分	たんぱく質	カリウム	リン
33kcal	0.3g	1.3g	80mg	27mg

減塩のコツ

のりのうまみ成分を利用する
のりにはグルタミン酸やイノシン酸、グアニル酸などのうまみ成分が多く含まれています。和えものにすることでうまみがアップし、塩分が少なくてもおいしくなります。

たまねぎの辛み成分はビタミンB1と結合して、糖質を効率よくエネルギーにかえてくれます。また動脈硬化を予防したり、血液の循環をよくしたりする働きも。

たまねぎ

食べる直前にドレッシングをかけるのがポイント

たまねぎと水菜のサラダ

材料（1人分）
たまねぎ …………………60g（約⅓個）
水菜 ………………………10g（½株）
ポン酢しょうゆ・みりん …各小さじ1

作り方［調理時間10分］
1. たまねぎは薄切りに、水菜は4㎝長さに切る。
2. 1を器に盛り、食べる直前によく混ぜ合わせたポン酢しょうゆとみりんをかける。

エネルギー	塩分	たんぱく質	カリウム	リン
41kcal	0.6g	0.8g	151mg	30mg

おいしく作るコツ

たまねぎの辛みを抑えるなら時間を置く
生のたまねぎの辛みが苦手な方は、切ってから15分ほど時間を置きます。辛み成分の一部が気化するため、辛みが抑えられます。

スープまで飲んでも塩分0.5g!

たまねぎの煮びたし

材料（1人分）
たまねぎ …………………70g（約⅓個）
だし汁（とり方はp.42参照）‥¼カップ
しょうゆ・みりん ………各小さじ½
かつお節 …………………少々

作り方［調理時間15分］
1. たまねぎは、くし形切りにする。
2. 鍋にだし汁、しょうゆ、みりんを熱し、たまねぎを加えて10分程度煮る。
3. 器に盛り、かつお節をのせる。

エネルギー	塩分	たんぱく質	カリウム	リン
30kcal	0.5g	0.8g	149mg	34mg

副菜 | たまねぎ

衣はサクッと中はトロッと
たまねぎのから揚げ

材料（1人分）

たまねぎ …………… 70g（約⅓個）
小麦粉 ……………… 適量
揚げ油 ……………… 適量
粗塩 ………………… 少々

作り方［調理時間10分］

1. たまねぎは輪切りにし、切り口と平行に楊枝を刺す。
2. たまねぎに小麦粉を均等にまぶし、170度の油できつね色になるまで揚げる。
3. 器に盛り、粗塩を添える。

エネルギー	塩分	たんぱく質	カリウム	リン
81kcal	0.4g	0.8g	110mg	24mg

たまねぎとソースの甘さが相性バツグン
たまねぎのソース炒め

材料（1人分）

たまねぎ …………… 70g（約⅓個）
サラダ油 …………… 小さじ1
ウスターソース ……… 小さじ1
青のり ……………… 少々

作り方［調理時間10分］

1. たまねぎは、1cm幅に切る。
2. フライパンに油を熱し、たまねぎをしんなりとするまで炒め、ソースをからめる。
3. 器に盛り、青のりをふる。

エネルギー	塩分	たんぱく質	カリウム	リン
66kcal	0.5g	0.6g	119mg	23mg

おいしく作るコツ

たまねぎは炒めると甘みが出る
たまねぎが炒めるほど甘くなるのは、水分が蒸発することにより、糖濃度がアップするから。たまねぎ本来のうまみで少ない調味料でもおいしくなります。

皮に近い部分には食物繊維が多いので、きれいに洗って皮ごと食べるのがおすすめ。ジアスターゼ、オキシターゼなどの消化酵素が、胃腸の働きを高めます。

大根

外はカリッと中はホクホク
揚げ大根のおかか和え

材料（1人分）

大根	70g
片栗粉	適量
揚げ油	適量
ポン酢しょうゆ	小さじ1
かつお節	1g

作り方 [調理時間15分]

1. 大根は1cm角の棒状に切る。
2. 大根に片栗粉をまぶし、170度の油で3～4分程度揚げる。
3. 油をきり、ポン酢しょうゆ、かつお節で和える。

エネルギー	塩分	たんぱく質	カリウム	リン
73kcal	0.5g	1.0g	181mg	24mg

からしの風味でおいしく減塩
大根のからしマヨネーズサラダ

材料（1人分）

大根	70g
塩	ミニスプーン1/2
からし	小さじ1/5
マヨネーズ	大さじ1/2
七味唐辛子	少々

作り方 [調理時間15分]

1. 大根は、薄いいちょう切りにする。
2. 大根に塩をふってなじませ、しんなりしたら水けをしぼる。からし、マヨネーズで和える。
3. 器に盛り、七味唐辛子をふる。

エネルギー	塩分	たんぱく質	カリウム	リン
54kcal	0.5g	0.4g	166mg	18mg

副菜 | 大根

ゆでるとカリウムを9%減らせる
大根のナムル

材料（1人分）

- 大根 …………… 70g
- A
  - 酢 ……………… 小さじ1
  - ごま油 ………… 小さじ1
  - しょうゆ ……… 小さじ½
  - おろしにんにく … 少々

作り方［調理時間 **10分**］

1. 大根は、太めのせん切りにし、ゆでる。
2. 大根の水けをきり、Aで和える。

エネルギー	塩分	たんぱく質	カリウム	リン
50kcal	0.5g	0.4g	175mg	17mg

スープまで全部飲んでも塩分0.5g
大根のだし煮

材料（1人分）

- 大根 ……………………… 70g
- だし汁（とり方はp.42参照）… ⅓カップ
- しょうゆ・みりん ………… 各小さじ½
- ゆずの皮 …………………… 適宜

作り方［調理時間 **20分**］

1. 大根を輪切りにして鍋に入れ、かぶるくらいの水（分量外）を加えて火にかける。沸騰してから5分ゆでる。
2. 別の鍋に1、だし汁、しょうゆ、みりんを入れて火にかけ、沸騰してから3～5分程度弱火で煮る。
3. 汁ごと器に盛り、ゆずの皮をのせる。

エネルギー	塩分	たんぱく質	カリウム	リン
18kcal	0.5g	0.5g	216mg	26mg

しその香りで、うす味でもおいしく
大根のしそ和え

材料（1人分）

- 大根 …………… 70g
  - 塩 …………… ミニスプーン½
- しそ …………… 1g（1枚）
- しょうゆ ……… 2滴

作り方［調理時間 **10分**］

1. 大根としそは、それぞれせん切りにする。
2. 大根には塩をふってなじませる。しんなりしたら水けをしぼる。しそ、しょうゆを加えて和える。

エネルギー	塩分	たんぱく質	カリウム	リン
11kcal	0.4g	0.3g	168mg	13mg

かぶの根はビタミンCや食物繊維、消化酵素のジアスターゼなど、葉は抗酸化作用があるβ-カロテン、糖質や脂質の代謝を促すビタミンB1、B2などを多く含みます。

かぶ

ごまはすりつぶすと風味がアップ
かぶの葉のごま和え

材料（1人分）
かぶの葉		50g（1株分）
A	すりごま	小さじ1
	だし汁（とり方はp.42参照）	小さじ1
	砂糖・しょうゆ	各小さじ¼

作り方［調理時間10分］
1. かぶの葉は、ゆでてからざく切りにする。
2. Aを混ぜておき、かぶの葉を和える。

エネルギー	塩分	たんぱく質	カリウム	リン
33kcal	0.3g	1.7g	186mg	41mg

腎機能を守るコツ

かぶの葉も捨てずに食べる
かぶの葉はビタミンB1、B2のほかに葉酸やビタミンC、カルシウム、鉄などのミネラルも豊富です。ゆでたり炒めたりして、かぶの栄養を余すことなくとりましょう。

かぶの甘みをまるごと味わう
かぶのコンソメ煮

材料（1人分）
かぶ	60g（小1個）
水	⅓カップ
顆粒コンソメ	小さじ¼
粗びきこしょう	少々

作り方［調理時間10分］
1. かぶをくし形に切る。
2. 鍋に水、コンソメを入れて熱し、かぶを加えてやわらかくなるまで3〜4分程度煮る。
3. 器に盛り、粗びきこしょうをふる。

エネルギー	塩分	たんぱく質	カリウム	リン
13kcal	0.3g	0.4g	152mg	16mg

副菜 | かぶ

カレー粉×マヨネーズの減塩サラダ
かぶのカレーマヨサラダ

材料（1人分）

かぶ …………………… 60g（小1個）
A｜マヨネーズ ……… 小さじ1
　｜カレー粉 ………… 小さじ1/5

作り方［調理時間10分］

1 かぶは、いちょう切りにし、さっとゆでる。
2 Aを混ぜておき、かぶと和える。

エネルギー	塩分	たんぱく質	カリウム	リン
36kcal	0.1g	0.7g	158mg	19mg

塩分多めのゆずこしょうはだしでのばして使う
かぶのゆずこしょう和え

材料（1人分）

かぶ …………………… 60g（小1個）
A｜だし汁（とり方はp.42参照）… 小さじ1
　｜ゆずこしょう ……………… 小さじ1/4

作り方［調理時間10分］

1 かぶはいちょう切りにして、さっとゆでる。
2 かぶを合わせておいたAと和える。

エネルギー	塩分	たんぱく質	カリウム	リン
12kcal	0.4g	0.3g	157mg	16mg

栄養たっぷりのかぶの葉までおいしく使いきり
かぶの葉のペペロンチーノ炒め

材料（1人分）

かぶの葉 …………… 50g（1株分）
にんにく（みじん切り）… 少々
赤唐辛子（小口切り）… ほんの少々
オリーブ油 ………… 小さじ1
塩 …………………… ミニスプーン1/4

作り方［調理時間10分］

1 かぶの葉は、1～2分程度ゆでてざく切りにする。
2 フライパンにオリーブ油、にんにく、唐辛子を弱火で炒める。香りが立ったらかぶの葉を加えて炒め、塩で味を調える。

エネルギー	塩分	たんぱく質	カリウム	リン
47kcal	0.3g	1.1g	173mg	23mg

なすの皮には強い抗酸化作用があり、体内の活性酸素の働きを抑えたり、動脈硬化を防止したりする効果が。加熱することでうまみもアップ。

なす

揚げてから煮ることでコクが出る
揚げなすの煮びたし

材料（1人分）
なす	70g（1本）
揚げ油	適量
だし汁（とり方はp.42参照）	¼カップ
しょうゆ・みりん	各小さじ½
小ねぎ	少々

作り方［調理時間15分］
1. なすは棒状に切り、170度の揚げ油で3〜4分程度素揚げする。
2. 鍋にだし汁、しょうゆ、みりんを煮立て、なすを加えて煮る。
3. 器に盛り、小口切りにした小ねぎを散らす。

エネルギー	塩分	たんぱく質	カリウム	リン
107kcal	0.5g	0.8g	201mg	33mg

作りおき 冷蔵で3〜4日間

素揚げしてから甘酢に漬けて味しみよく
なすの甘酢マリネ

材料（1人分）
なす	70g（1本）
揚げ油	適量
A 酢	小さじ1
砂糖	小さじ½
粒マスタード	小さじ⅕
塩	ミニスプーン½
こしょう	少々

作り方［調理時間15分］
1. なすは、輪切りにして、170度の揚げ油で3〜4分程度素揚げする。
2. 油をきったなすを、合わせたAに漬ける。

エネルギー	塩分	たんぱく質	カリウム	リン
109kcal	0.6g	0.6g	157mg	24mg

副菜 / なす・きゅうり

一年中いつでも手に入れやすい食材。アミノ酸の一種・シトルリンが多く、抗酸化作用や、血液の流れをよくするなど腎臓によい効果が期待できます。

きゅうり

たたくことで、うす塩でもしっかり味がからむ
たたききゅうり

材料（1人分）

きゅうり	50g（½本）
塩	ミニスプーン¼
ラー油	少々
いりごま	少々

作り方[調理時間10分]

1. きゅうりは、たたいて食べやすい長さに切る。
2. きゅうりに塩をなじませ、ラー油で和える。
3. 器に盛り、いりごまをふる。

エネルギー	塩分	たんぱく質	カリウム	リン
14kcal	0.3g	0.4g	102mg	21mg

塩分・たんぱく質ゼロの春雨でかさ増し！
きゅうりと春雨のサラダ

材料（1人分）

きゅうり	50g（½本）
春雨	5g
A　ポン酢しょうゆ	小さじ⅔
ごま油	小さじ⅓

作り方[調理時間10分]

1. きゅうりはせん切りにする。春雨は表示通りに戻す。
2. きゅうりと春雨を合わせて、混ぜておいたAで和える。

エネルギー	塩分	たんぱく質	カリウム	リン
38kcal	0.3g	0.5g	108mg	21mg

炒めることでβ-カロテンの吸収率アップ
きゅうりのクミン炒め

材料（1人分）

きゅうり	50g（½本）
サラダ油	小さじ½
クミン	少々
塩	ミニスプーン¼

作り方[調理時間10分]

1. きゅうりは、細長い乱切りにする。
2. フライパンに油、クミンを熱し、香りが立ったら1を加えて炒め、塩で味を調える。

エネルギー	塩分	たんぱく質	カリウム	リン
25kcal	0.3g	0.4g	102mg	18mg

浅漬け・ピクルス

市販の漬けものやピクルスは塩分が気になるところ。
塩分が低い手作りは日持ちしないので、3日くらいで食べきって。

作りおき 冷蔵で3〜4日間

白菜の浅漬け

材料（1人分）

白菜	80g（葉大1枚弱）
塩	ミニスプーン½
ごま油	小さじ1

作り方 [調理時間5分]

1. 白菜はざく切りにする。
2. 1に塩をふってなじませ、ごま油をかける。

エネルギー	塩分	たんぱく質	カリウム	リン
46kcal	0.6g	0.5g	177mg	26mg

作りおき 冷蔵で3〜4日間

かぶの塩麹漬け

材料（1人分）

かぶ	80g（1個）
塩麹	小さじ1

作り方 [調理時間5分]

1. かぶはいちょう切りにする。
2. 1に塩麹をなじませる。

エネルギー	塩分	たんぱく質	カリウム	リン
22kcal	0.7g	0.5g	202mg	22mg

作りおき 冷蔵で3〜4日間

にんじんのヨーグルトみそ漬け

材料（1人分）

にんじん	80g（½本）
みそ・ヨーグルト	各小さじ1

作り方 [調理時間5分]

1. にんじんは棒状に切る。
2. ヨーグルトでみそをのばし、にんじんをなじませる。

エネルギー	塩分	たんぱく質	カリウム	リン
35kcal	0.7g	1.1g	241mg	32mg

パプリカのピクルス

材料（1人分）

パプリカ(赤・黄)	各40g(各⅓個)
A りんご酢	大さじ½
オリーブ油	小さじ1
砂糖	小さじ½
塩	ミニスプーン¼
月桂樹(葉)	1枚

作り方 [調理時間5分 (漬ける時間除く)]

1 パプリカは1cm幅に切り、ゆでる。

2 保存容器にAを混ぜ、1を漬ける(月桂樹は食べない)。

エネルギー	塩分	たんぱく質	カリウム	リン
66kcal	0.3g	0.6g	169mg	18mg

ごぼうのピクルス

材料（1人分）

ごぼう	80g(⅓本)
A 酢	大さじ½
ごま油	小さじ1
砂糖	小さじ½
塩	ミニスプーン¼

作り方 [調理時間10分 (漬ける時間除く)]

1 ごぼうはたたいて食べやすい大きさに切り、ゆでる。

2 保存容器にAを混ぜ、1を漬ける。

エネルギー	塩分	たんぱく質	カリウム	リン
90kcal	0.3g	0.9g	257mg	50mg

ザワークラウト風キャベツ

材料（1人分）

キャベツ	80g(葉1½枚)
塩	ミニスプーン½
A 酢	大さじ½
砂糖	小さじ½
オリーブ油	小さじ1
クミン	少々

作り方 [調理時間10分]

1 キャベツはせん切りにする。塩をふり、しんなりしたら水けをしぼる。

2 1とよく混ぜたAを和える。

エネルギー	塩分	たんぱく質	カリウム	リン
61kcal	0.3g	0.7g	162mg	22mg

ごぼう

豊富に含まれる水溶性食物繊維のイヌリンと、不溶性食物繊維のリグニンやセルロースには血糖値の上昇を抑え、悪玉コレステロールを排出する効果があります。

三つ葉とごまの香りが食欲をそそる
ささがきごぼうと三つ葉のごま和え

材料（1人分）
ごぼう	30g（約⅙本）
三つ葉	4.5g（3本）
A すりごま・酢	各小さじ1
砂糖・しょうゆ	各小さじ½

作り方 [調理時間10分]
1. ごぼうは、ささがきにする。水から入れて沸騰したら1分ゆでる。三つ葉は、ゆでてからざく切りにする。
2. 混ぜ合わせたAとごぼう、三つ葉を和える。

エネルギー	塩分	たんぱく質	カリウム	リン
45kcal	0.4g	1.1g	143mg	42mg

ごぼうの甘辛煮をイタリア風にアレンジ
ごぼうのトマト煮

材料（1人分）
ごぼう	30g（約⅙本）
オリーブ油	小さじ1
トマトピューレ・水	各大さじ2
塩	ミニスプーン½
こしょう	少々
オレガノ（ドライ）	少々

作り方 [調理時間20分]
1. ごぼうは、長めの乱切りにして5分ゆでる。
2. フライパンにオリーブ油を熱し、ごぼうを炒める。トマトピューレ、水を加えてさらに煮る。塩、こしょうで味を調え、オレガノをふり入れる。

エネルギー	塩分	たんぱく質	カリウム	リン
67kcal	0.6g	0.8g	245mg	30mg

副菜 | ごぼう

エネルギー	塩分	たんぱく質	カリウム	リン
62kcal	0.4g	0.3g	97mg	19mg

サクサクおいしい！ おやつにもおすすめ
揚げごぼう

材料（1人分）

ごぼう	30g（約1/6本）
片栗粉	適量
揚げ油	適量
塩	ミニスプーン1/3
粗びきこしょう	少々

作り方［調理時間10分］

1. ごぼうはピーラーで薄切りにする。
2. ごぼうに片栗粉をふり、170度の油で素揚げする。
3. 器に盛り、塩、粗びきこしょうをふる。

ほのかに香るわさびがアクセント
せん切りごぼうとにんじんのサラダ

材料（1人分）

ごぼう	40g（1/5本）
にんじん	10g（1cm分）
A｜マヨネーズ	大さじ1/2
｜わさび	小さじ1/4

作り方［調理時間15分］

1. ごぼう、にんじんともマッチ棒状に切り、それぞれ水から入れて沸騰したら1分ゆでる。
2. ごぼうとにんじんを、よく混ぜたAで和える。

エネルギー	塩分	たんぱく質	カリウム	リン
70kcal	0.2g	0.7g	160mg	33mg

エネルギー	塩分	たんぱく質	カリウム	リン
57kcal	0.2g	0.3g	97mg	19mg

シャキシャキの歯ごたえがクセになる
ごぼうのマリネ

材料（1人分）

ごぼう	30g（約1/6本）
パセリ（みじん切り）	小さじ1/2
A｜すし酢	小さじ1/2
｜オリーブ油	小さじ1

作り方［調理時間10分］

1. ごぼうは、斜め薄切りにする。水から入れて沸騰したら1分ゆでる。
2. ごぼうをAで和える。
3. 器に盛り、パセリを散らす。

れんこんのねばりは、糖の体内への吸収を穏やかにして、血糖値の急激な上昇を防ぎます。ビタミンB₁も含まれているので、糖質の代謝もスムーズに。

れんこん

七味がピリリときいた、うす塩なます
れんこんなます

材料（1人分）

れんこん		50g（約¼節）
A	酢	小さじ1
	砂糖	小さじ¼
	塩	ミニスプーン¼
七味唐辛子		少々

作り方［調理時間15分］

1. れんこんは、2～3mm厚さのいちょう切り（半月切りでも可）にし、ゆでる。
2. れんこんをAになじませる。
3. 器に盛り、七味唐辛子をふる。

エネルギー	塩分	たんぱく質	カリウム	リン
37kcal	0.3g	0.7g	221mg	37mg

ゆでることでカリウムが45％減
れんこんの黒こしょう炒め

材料（1人分）

れんこん	50g（約¼節）
オリーブ油	小さじ1
塩	ミニスプーン½
粗びきこしょう	少々

作り方［調理時間10分］

1. れんこんは、5cm長さの棒状に切ってゆでる。
2. フライパンにオリーブ油を熱し、れんこんを炒める。塩で味を調え、粗びきこしょうをふる。

エネルギー	塩分	たんぱく質	カリウム	リン
69kcal	0.6g	0.7g	221mg	37mg

副菜 | れんこん・さといも

ガラクタンというぬめり成分が、食べものの吸収をゆるやかにしてくれます。水溶性食物繊維も多いので、生活習慣病の予防・改善にも効果的。

さといも

煮ものにするよりも80%減塩できる
揚げ出しさといも

材料（1人分）
- さといも ……………… 45g（1個）
- A
  - だし汁（とり方はp.42参照）… 1/4カップ
  - 片栗粉 ………… 小さじ1/2
  - しょうゆ ………… 小さじ1/3
- 揚げ油 ……………… 適量

作り方［調理時間15分］
1. さといもは六方にむき、横に3等分に切る。
2. 鍋に揚げ油、1を入れる。中火にかけて、さといもがやわらかくなるまで揚げる。
3. Aを温めて、とろみをつける。
4. 2を器に盛り、3をかける。

エネルギー	塩分	たんぱく質	カリウム	リン
44kcal	0.3g	0.8g	328mg	35mg

電子レンジでチンして和えるだけの簡単料理
さといものとろろ昆布和え

材料（1人分）
- さといも ……………… 45g（1個）
- とろろ昆布 ………… 1g
- しょうゆ …………… 少々

作り方［調理時間10分］
1. さといもはラップをして電子レンジ（600W）で1分加熱し、皮をむいて7mm厚さの半月切りにする。
2. 1と、とろろ昆布、しょうゆを和える。

エネルギー	塩分	たんぱく質	カリウム	リン
26kcal	0.1g	0.6g	338mg	27mg

減塩のコツ

とろろ昆布にはうまみ成分が豊富
とろろ昆布は、うまみ成分のグルタミン酸が豊富なので、少量使うだけでも味にコクと深みが出ます。

こんにゃく

こんにゃくは90％以上が水分なので、低たんぱく。なのに食べごたえもバツグン。水溶性食物繊維が、糖質や脂質の吸収をゆるやかにします。

こんにゃくをちぎることで味がからみやすく

ちぎりこんにゃくのこしょう炒め

材料（1人分）

こんにゃく	80g（約⅓枚）
サラダ油	小さじ1
しょうゆ	小さじ½
こしょう	少々

作り方［調理時間15分］

1. こんにゃくは、ひと口大にちぎる。
2. フライパンに油を熱し、こんにゃくを3〜4分炒める。しょうゆ、こしょうで味を調える。

エネルギー	塩分	たんぱく質	カリウム	リン
42kcal	0.4g	0.3g	38mg	9mg

片栗粉をつけて焼くことで食べごたえアップ

田楽

材料（1人分）

こんにゃく	70g（約⅓枚）
片栗粉	適量
サラダ油	小さじ1
A｜みそ・みりん	各小さじ1
青のり	少々

作り方［調理時間15分］

1. こんにゃくは、横に2等分にし、格子状に細かく切れ目を入れる。
2. フライパンに油を熱し、片栗粉をまぶしたこんにゃくを両面しっかりと焼きつけて器に盛る。
3. Aを合わせて電子レンジ（600W）で30秒加熱し、2にのせ、青のりを散らす。

エネルギー	塩分	たんぱく質	カリウム	リン
72kcal	0.8g	0.8g	50mg	16mg

しらたき

こんにゃくを細いひも状にしたものがしらたき。低エネルギー、低たんぱくなので、肥満の方のダイエット食材としても最適です。

副菜　こんにゃく・しらたき

からしマヨが味のアクセント

しらたき、にんじん、きゅうりのマヨサラダ

材料（1人分）

しらたき	100g
にんじん	10g（1cm分）
きゅうり	20g（1/5本）
A　マヨネーズ	大さじ1/2
からし	小さじ1/2
塩・こしょう	各少々

作り方［調理時間10分］

1. しらたきは、ゆでて食べやすい大きさに切る。にんじんはせん切りにして、ゆでる。きゅうりは、せん切りにする。
2. 1を合わせ、Aで和える。

エネルギー	塩分	たんぱく質	カリウム	リン
62kcal	0.7g	0.7g	86mg	28mg

春雨のかわりにしらたきを使った低エネルギーメニュー

しらたきとピーマンのチャプチェ

材料（1人分）

しらたき	100g
ピーマン	30g（1個）
ごま油	小さじ2
A　しょうゆ・酢	各小さじ1/2
砂糖	小さじ1/4
いりごま	少々

作り方［調理時間15分］

1. しらたきは、ゆでてから食べやすい大きさに切る。ピーマンはせん切りにしてから、ゆでる。
2. フライパンにごま油を熱し、1を炒める。しんなりとしたらAをからめる。
3. 器に盛り、いりごまをふる。

エネルギー	塩分	たんぱく質	カリウム	リン
96kcal	0.4g	0.8g	85mg	27mg

グアニル酸やグルタミン酸などのうまみ成分がたっぷり。調味料をほとんど使わなくても、きのこそのものの味で十分おいしくなる減塩お助け食材です。

きのこ

鍋やフライパンを使わないからあと片づけがラク!

ミックスきのこのホイル焼き

材料（1人分）

きのこ（エリンギ、しいたけなど数種類）
　　　　　　　　　　　　　　…………… 50 g
バター（有塩）………… 小さじ1
小ねぎ（小口切り）…… 少々
ポン酢しょうゆ ……… 小さじ½

作り方 [調理時間 15分]

1. きのこは、食べやすい大きさに切る。
2. ホイルに1を入れ、バターをのせて包む。魚焼きグリルまたはオーブントースターで約10分焼く。
3. ホイルごと器にのせ、小ねぎを散らし、ポン酢しょうゆをかける。

エネルギー	塩分	たんぱく質	カリウム	リン
43kcal	0.3g	1.0g	175mg	49mg

しょうがじょうゆで佃煮風に。作りおきにも◎

なめことえのきのしぐれ煮

材料（作りやすい分量／6回分）

なめこ ………………… 100 g（1パック）
えのきたけ ………… 80 g（小1パック）
しめじ ………………… 90 g（1パック）
しょうが（せん切り）…… 少々
A｜しょうゆ・みりん・酒…各小さじ2

作り方 [調理時間 10分]

1. えのきたけは、いしづきを切り落とし、ほぐして食べやすい大きさに切る。しめじもいしづきを切り落とし、ほぐす。
2. 1となめこ、しょうが、Aを鍋に入れて、煮詰める。

作りおき
冷蔵で
3～4日間

エネルギー	塩分	たんぱく質	カリウム	リン
16kcal	0.3g	0.8g	151mg	44mg

（1回分あたり）

副菜 きのこ

大根おろしで和え、しょうゆだけより25％減塩
焼きしいたけのおろし和え

材料（1人分）

しいたけ	30g（2枚）
大根おろし	50g
三つ葉	少々
しょうゆ	小さじ⅓

作り方［調理時間10分］

1. しいたけは、軸を残したまま魚焼きグリルで7〜8分焼く。
2. 1を食べやすい大きさに切る。大根おろしは水けをきり、三つ葉はざく切りにする。
3. 2をしょうゆで和える。

エネルギー	塩分	たんぱく質	カリウム	リン
17kcal	0.3g	0.9g	217mg	39mg

薄切りにしてボリュームアップ
マッシュルームのごま酢和え

材料（1人分）

マッシュルーム	45g（3個）
A すりごま・酢・砂糖	各小さじ½
しょうゆ	小さじ¼

作り方［調理時間5分］

1. マッシュルームは、薄切りにする。
2. マッシュルームとAを和える。

エネルギー	塩分	たんぱく質	カリウム	リン
23kcal	0.2g	1.2g	170mg	56mg

簡単にできてお弁当にもぴったり
ミックスきのこのオイル漬け

材料（作りやすい分量・4回分）

しめじ	50g（½パック）
しいたけ	50g（4枚）
まいたけ	50g（½パック）
オリーブ油	小さじ1＋大さじ3
にんにく	2g（小½かけ）
塩	ミニスプーン1

作り方［調理時間15分］

1. しめじはいしづきをとって、ほぐす。しいたけは軸をとって薄切りにし、まいたけは食べやすくほぐす。にんにくは薄切りにする。
2. フライパンにオリーブ油小さじ1とにんにくを炒め、しめじ、しいたけ、まいたけを炒める。しんなりしたら塩を加えてなじませる。保存容器に移し、オリーブ油大さじ3を注ぐ。

作りおき 冷蔵で3〜4日間

エネルギー	塩分	たんぱく質	カリウム	リン
99kcal	0.3g	0.6g	114mg	30mg

（1回分あたり）

海藻のネバネバ成分フコイダンは水溶性食物繊維のひとつ。腸内を通るスピードがゆるやかになるため、糖質の吸収が遅くなり、急激な血糖値の上昇を抑えます。

海藻

昆布のねばりがさつまいもの甘さにからむ
きざみ昆布とさつまいもの煮もの

作りおき 冷蔵で3〜4日間

材料（作りやすい分量／2人分）
きざみ昆布 …………… 5g
さつまいも …………… 40g(¼本)
だし汁(とり方はp.42参照) ‥ ½カップ
しょうゆ ……………… 小さじ½
みりん ………………… 小さじ1

作り方［調理時間30分（きざみ昆布を戻す時間除く）］

1. きざみ昆布は、水で10分戻す。さつまいもは、いちょう切りにする。
2. 鍋に1とだし汁、しょうゆ、みりんを入れて落としぶたをし、汁けが少なくなるまで15分煮る。

エネルギー	塩分	たんぱく質	カリウム	リン
34kcal	0.3g	0.5g	339mg	26mg

（1人分あたり）

水で戻したわかめを炒めて減塩
わかめの炒めナムル風

材料（1人分）
カットわかめ ………… 2g
ごま油 ………………… 小さじ1
ねぎ(みじん切り) ……… 少々
しょうが(みじん切り) … 少々
にんにく(みじん切り) … 少々
A ｜ しょうゆ ………… 小さじ¼
　｜ 酒 ……………… 小さじ1
一味唐辛子 …………… 少々

作り方［調理時間10分］

1. カットわかめは、水で戻し、水けをしぼる。
2. フライパンにごま油、ねぎ、しょうが、にんにくを熱し、香りが立ってきたら、わかめを加える。さっと炒めてAを回し入れる。
3. 器に盛り、一味唐辛子をふる。

エネルギー	塩分	たんぱく質	カリウム	リン
42kcal	0.3g	0.4g	22mg	10mg

副菜 | 海藻

もずく酢の酸味と塩味でしっかりおいしい
もずくと長いも和えもの

材料（1人分）
長いも ………………… 20g（1cm）
もずく酢 ……………… 35g（½パック）
わさび ………………… 少々

作り方［調理時間5分］
1. 長いもは、せん切りにする。
2. もずくと長いもを合わせる。器に盛り、わさびを添える。

エネルギー	塩分	たんぱく質	カリウム	リン
25kcal	0.6g	0.5g	89mg	6mg

梅干しを調味料がわりに
ひじきとえのきの梅煮

材料（1人分）
ひじき ………………… 2g
えのきたけ …………… 30g（⅓パック）
梅干し ………………… 5g（½個）
だし汁（とり方はp.42参照）‥ ¼カップ

作り方［調理時間10分（ひじきを戻す時間除く）］
1. ひじきは、水で戻す。えのきたけは、3cm長さに切る。
2. 鍋に、1と梅干し、だし汁を合わせて火にかけ、汁けが少なくなるまで煮る。

エネルギー	塩分	たんぱく質	カリウム	リン
16kcal	0.7g	0.8g	273mg	42mg

揚げたわかめはサクサクの食感
わかめフライ

材料（1人分）
塩蔵わかめ …………… 10g
長ねぎ ………………… 3g
衣｜小麦粉 …………… 小さじ2
　｜水 ………………… 小さじ1
揚げ油 ………………… 適量

作り方［調理時間5分（わかめを戻す時間除く）］
1. 塩蔵わかめは、水（分量外）で戻す。ねぎは、斜め薄切りにする。
2. 1に衣をからめ、ひと口大にして、170度の揚げ油で2〜3分揚げる。

エネルギー	塩分	たんぱく質	カリウム	リン
72kcal	0.2g	0.7g	14mg	9mg

うす味でもおいしく食べられる汁もの

1食の献立を考えるとき、うっかり忘れがちなのが汁ものの塩分。主菜や副菜だけでなく、汁ものの塩分も考慮して組み合わせましょう。

オクラと納豆のみそ汁

材料（1人分）

オクラ	14g（2本）
だし汁（とり方はp.42参照）	110mL
納豆	10g
みそ	小さじ1

作り方［調理時間5分］

1. オクラは、ゆでて小口切りにする。
2. 鍋にだし汁を熱し、オクラ、納豆を加えてひと煮立ちしたら、みそを溶き入れる。

エネルギー	塩分	たんぱく質	カリウム	リン
36kcal	0.9g	2.5g	195mg	52mg

ミニトマトとわかめのみそ汁

材料（1人分）

ミニトマト	20g（2個）
カットわかめ	1g
だし汁（とり方はp.42参照）	110mL
みそ	小さじ1

作り方［調理時間5分］

1. ミニトマトは半分に切る。カットわかめは表示通り戻し、水けをきる。
2. 鍋にだし汁を熱し、ミニトマト、カットわかめを加えてひと煮立ちしたら、みそを溶き入れる。

エネルギー	塩分	たんぱく質	カリウム	リン
21kcal	0.9g	1.2g	154mg	33mg

もずく酢のサンラータン

材料（1人分）

もずく酢	35g（½パック）
水	110mL
鶏ガラスープの素	ひとつまみ
貝割れ大根	少々
ラー油	少々

作り方［調理時間5分］

1. 鍋に水、鶏ガラスープの素を入れて火にかける。煮立ったらもずく酢とザク切りにした貝割れ大根を加える。
2. 器に盛り、ラー油をたらす。

エネルギー	塩分	たんぱく質	カリウム	リン
15kcal	0.7g	0.3g	6mg	2mg

かぶのすりながし

材料（1人分）
かぶ ……………………… 50g（½個）
かぶの葉 ………………… 5g
水 ………………………… 110mL
顆粒コンソメ …………… 小さじ1/4

作り方［調理時間10分］
1 かぶの葉はゆでて、きざむ。
2 鍋に水、かぶ、コンソメを加えてふたをして煮る。
3 かぶがやわらかくなったらミキサーで攪拌する。器に盛り、かぶの葉を散らす。

エネルギー	塩分	たんぱく質	カリウム	リン
12kcal	0.4g	0.4g	143mg	15mg

キャベツとコーンのミルクスープ

材料（1人分）
キャベツ ………………… 20g（葉½枚）
コーン …………………… 大さじ1
牛乳 ……………………… ¼カップ
水 ………………………… ¼カップ
顆粒コンソメ …………… 小さじ¼
パプリカパウダー ……… 少々

作り方［調理時間10分］
1 キャベツはざく切りにしてゆでる。
2 鍋に水とコンソメとキャベツを入れてふたをして熱し、キャベツがしんなりしたら牛乳とコーンを加えて温める。
3 器に盛り、パプリカパウダーをふる。

エネルギー	塩分	たんぱく質	カリウム	リン
51kcal	0.5g	2.2g	144mg	62mg

カリフラワーのカレースープ

材料（1人分）
カリフラワー …………… 30g（小房2個）
オリーブ油 ……………… 小さじ½
カレー粉 ………………… 少々
水 ………………………… 110mL
顆粒コンソメ …………… 小さじ¼

作り方［調理時間10分］
1 カリフラワーは、薄切りにする。
2 鍋にオリーブ油を熱し、カリフラワーを炒める。カレー粉をふり入れてなじませ、水、コンソメを加え、カリフラワーがやわらかくなるまで煮る。

エネルギー	塩分	たんぱく質	カリウム	リン
28kcal	0.3g	0.7g	126mg	21mg

春雨と大根、にんじんのすまし汁

材料（1人分）

春雨 ……………………… 5g
大根 ……………………… 10g
にんじん ………………… 10g（1cm分）
だし汁（とり方はp.42参照）‥110mL
うすくちしょうゆ ………… 小さじ2/3

作り方［調理時間 10分］

1 春雨は表示通りに戻す。大根とにんじんは、それぞれせん切りにする。
2 鍋にだし汁、大根、にんじんを入れて熱し、やわらかくなったら春雨、うすくちしょうゆを加える。

エネルギー	塩分	たんぱく質	カリウム	リン
26kcal	0.8g	0.5g	133mg	24mg

にらと揚げ春雨の中華スープ

材料（1人分）

にら ……………………… 20g（2本）
春雨 ……………………… 5g
揚げ油 …………………… 適量
水 ………………………… 110mL
鶏ガラスープの素 ……… 小さじ1/4
粗びきこしょう ………… 少々

作り方［調理時間 10分］

1 にらはざく切りにする。春雨は180度の揚げ油で素揚げする。
2 鍋に水と鶏ガラスープの素を熱し、にらを入れる。
3 器に春雨と2を流し入れ、こしょうをふる。

エネルギー	塩分	たんぱく質	カリウム	リン
31kcal	0.4g	0.4g	110mg	9mg

にんじん、たまねぎ、絹さやのコンソメスープ

材料（1人分）

にんじん ………………… 10g（1cm分）
たまねぎ ………………… 10g（1/10個）
絹さや …………………… 2g（1枚）
水 ………………………… 110mL
顆粒コンソメ …………… 小さじ1/4

作り方［調理時間 10分］

1 にんじんはいちょう切りに、たまねぎは横に薄切りに、絹さやは斜め薄切りにして、それぞれゆでる。
2 鍋に水、コンソメを熱し、1を加えて煮立たせる。

エネルギー	塩分	たんぱく質	カリウム	リン
9kcal	0.4g	0.2g	48mg	7mg

Part 5

塩分・たんぱく質調整中でも食べられる!
主食レシピ

レシピはどれもたんぱく質16g以下、塩分2.3g以下で、
これまで食べていたものと変わらないおいしさ。
副菜か汁ものを1品プラスしていただきましょう。

【INDEX】
- **ごはんもの**…p.174〜179
- **パン**…p.180
- **麺類**…p.181〜183

コラム
- お弁当…p.184〜187
- 減塩作りおきおかず…p.188

チキンドリア(p.175)

和えそば(p.181)

米粉パンの
フレンチトースト(p.180)

ぎんだら塩麹漬け揚げ弁当(p.186)

たんぱく質を上手にとるアイデア

決められた量の中で摂取量のやりくりが必要になるたんぱく質は、主食にも含まれます。外食を減らし、ときにはたんぱく質量を調整した食品を使って上手にとるようにします。

1 主食のたんぱく質量を覚える

たんぱく質が含まれているのは、肉や魚だけではありません。主食であるごはんやパン、そばなどにも含まれています。毎食食べている主食にたんぱく質がどのくらい含まれているのかを知っておくと、おかずにどれだけのたんぱく質を食べてよいのかがすぐにわかります。また、外食のときにも目安になります。

▶主な主食のたんぱく質とエネルギー量

ごはん
茶碗1杯(150g)
3.0g（234kcal）

食パン
6枚切り1枚(60g)
4.4g（149kcal）

ロールパン
2個(60g)
5.1g（185kcal）

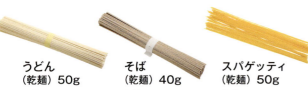

うどん（乾麺）50g
4.0g（167kcal）

そば（乾麺）40g
4.7g（138kcal）

スパゲッティ（乾麺）50g
6.0g（174kcal）

中華麺（ゆで）1玉(230g)
11.0g（306kcal）

クロワッサン
1個(25g)
1.8g（110kcal）

（1食あたり。（ ）内はエネルギー。「日本食品標準成分表2020年版（八訂）」より）

2 なるべく外食や中食の頻度を減らす

適量のたんぱく質摂取量を守りながらの外食や中食は、エネルギー量や塩分などとバランスをとるのが難しいもの。とはいえ、仕事をもっていると、その頻度は高くなりがちです。

昼食と夕食の1日2食が外食や中食ならば、どちらか1回に、毎日外食だった人は1日おきに、というように回数を減らしましょう。そして、右記のポイントと腹8分目を意識して食べます。

好きでよく食べるメニューがあれば、おおよそのエネルギー量や塩分、たんぱく質量を、栄養成分表示がある店などで確認しておくのもよいでしょう。

食べる内容や量に合わせて、外食・中食以外の食事で栄養成分を調整していきます。

外食・市販のお弁当選びのポイント

- お弁当を買う場合は、肉や魚の切り身が小さいものを選ぶ
- たんぱく質が多すぎないものを選ぶ
- エネルギー不足にならないように、揚げものを利用する
- お弁当を買う場合は、栄養成分表示を確認して、たんぱく質や塩分が多いものは避ける。外食でもメニューに表示が出ていたらチェックする
- みそ汁などスープ類は飲まない
- 漬けものは食べない
- お弁当についている別添の調味料は使わない

ランチはできれば**手作りのお弁当**持参で

仕事をしていて外食が避けられない場合は、手作りのお弁当を準備するのが理想です。栄養のバランスを考えながらおかずを用意することができ、たんぱく質量、塩分量を考慮したメニューにできるからです。

理想的なバランスは右のように、主食3に対して主菜は1、副菜は2。すべて朝に手作りしようと意気込むと長く続かず、息切れしてしまいます。前日の夕食の残りを活用したり、1品だけコンビニのお惣菜を利用したりと、気負わずに始めましょう。

ちなみにお弁当箱のサイズは、その容量＝エネルギーの数字と読み替えればOK。自分の1日の適正エネルギー摂取量の1/3量に近い容量のものを選びましょう。

副菜
- 主菜と同じ調理法は避ける
- 2〜3品が理想
- 漬けものなど塩分が多いものは避ける

主食
- ごはんは食物繊維がとれる玄米や胚芽米が理想
- ときには食物繊維が多い全粒粉パンやライ麦パンを

主菜
- 肉より魚を多く
- 酸化しやすい揚げものは少なく
- 味つけは薄く
- ベーコンやハムなどの加工食品は塩分が多いので少なめに

理想的なバランスは
主食3：主菜1：副菜2

たんぱく質を調整した食品を取り入れる

たんぱく質の適正量が1日40gの場合は、主食に治療用特殊食品を取り入れると、比較的簡単に調整できます。たとえばごはんの場合、茶碗1杯150gのたんぱく質は3.0gですが、治療用特殊食品のごはんを使うと、同じ量でたんぱく質が0.16gと、1食でたんぱく質が2.5g以上減ります。これを1日3食利用すると10g以上減るので、おかずはこれまでと同じものを食べられることも。

なお治療用特殊食品を利用する場合は、あらかじめ医師や管理栄養士に相談してからにし、継続的な指導が必須となります。また一般の食品よりも割高なので、頻繁に使うと経済的な負担が大きくなることを覚えておきましょう。

▶ 低たんぱく質の治療用特殊食品（一例）

ごはん
（1/25越後ごはんの場合）
180g 292kcal
たんぱく質 0.18g
食塩相当量 0g
（バイオテックジャパン）

そば
（げんたそばの場合）
ゆでそば100g
123kcal
たんぱく質 0.9g
食塩相当量 0.01g
（キッセイ薬品工業）

食パン
（ゆめベーカリー
たんぱく質調整食パンの場合）
1枚（100g）260kcal
たんぱく質 0.5g
食塩相当量 0.07g
（キッセイ薬品工業）

うどん
（げんた冷凍めん
うどん風の場合）
ゆでうどん200g
291kcal
たんぱく質 0g
食塩相当量 0.02〜0.07g
（キッセイ薬品工業）

丸パン
（ゆめベーカリー
たんぱく質調整丸パンの場合）
1個（50g）146kcal
たんぱく質 0.2g
食塩相当量 0.06g
（キッセイ薬品工業）

市販のルウとカレー粉のダブル使いがポイント
カレーライス

材料（1人分）

豚肩ロース薄切り肉	40g
片栗粉	少々
たまねぎ	30g（1/6個）
にんじん	20g（2cm）
じゃがいも	20g（1/6個）
サラダ油	小さじ1/2
A　おろししょうが、おろしにんにく	各少々
カレー粉	小さじ1/3
水	100mL
カレールウ	10g（1/2かけ）
温かいごはん	150g

作り方[調理時間20分]

1. 豚肩ロース薄切り肉はひと口大に切る。片栗粉をまんべんなくまぶし、熱湯でゆでる。
2. たまねぎ、にんじん、じゃがいもは、それぞれひと口大に切り、下ゆでする。
3. 鍋に油、A、カレー粉を入れて中火にかけ、炒めて香りがたったら、**2**の野菜を加えてさらに炒め、水を加える。
4. 煮立ったら**1**の肉を加える。再び煮立ったら火を止め、カレールウを加え、さらに煮込む。器にごはんと、カレーを盛る。

エネルギー	塩分	たんぱく質	カリウム	リン
441kcal	1.2g	10.1g	396mg	155mg

たんぱく質を抑えるコツ

市販のカレールウは使う量を半分に

一般的に1人分のカレーに使うルウの目安は、ひとかけ（20g）で、たんぱく質量は1.3g。カレー粉を少量プラスすればカレールウをひとかけの半量にすることができ、たんぱく質量も1g以下に抑えられます。

主食 | ごはんもの

手作りホワイトソースで減塩&減たんぱく
チキンドリア

材料（1人分）
たまねぎ	10 g（1/20個）
ブロッコリー	15 g（1房）
バター	小さじ1/2
鶏ひき肉	20 g
温かいごはん	150 g
A　小麦粉	小さじ1 2/3
バター（常温に戻す）	小さじ1
B　牛乳	大さじ2
顆粒コンソメ	小さじ1/2弱
塩	ミニスプーン1/3
生クリーム	小さじ2
粉チーズ	小さじ1/2

作り方［調理時間20分］

1. たまねぎは、粗みじん切りにする。ブロッコリーはゆで、細かくきざむ。
2. フライパンにバターを熱し、鶏ひき肉、たまねぎを炒める。火が通ったら、ブロッコリーとともに、ごはんを加えて混ぜ、耐熱皿に入れる。
3. 小鍋にBを温め、練り合わせておいたAを加えて溶きのばす。さっと煮て生クリームを加える。
4. 2に3のホワイトソースをかけ、粉チーズをふる。オーブントースターで、チーズに焼き色がつくまで焼く。混ぜてから食べる。

エネルギー	塩分	たんぱく質	カリウム	リン
403kcal	1.2g	8.6g	241mg	142mg

あんかけにすれば、ごはんがうす味でもおいしく
かにあんかけチャーハン

材料（1人分）
卵	25 g（1/2個）
サラダ油	小さじ2
ごはん	150 g
A　水	1/4カップ
かに缶	30 g
長ねぎ（小口切り）	20 g（6cm）
片栗粉	小さじ1/2
鶏ガラスープの素	小さじ1/2弱
塩	ミニスプーン1/2弱
おろししょうが	少々
B　こしょう	少々
ごま油	小さじ1/2

作り方［調理時間20分］

1. 卵は、割りほぐしておく。
2. フライパンに油小さじ1/2を熱し、卵をさっと炒めて取り出す。残りの油を熱し、ごはんを炒める。油が全体に回ったら卵を戻し入れ、なじむように混ぜて、器に盛る。
3. 小鍋にAを入れる。混ぜながら中火にかけ、とろみがついたら、Bを加え、2にかける。

エネルギー	塩分	たんぱく質	カリウム	リン
394kcal	1.7g	9.8g	137mg	139mg

うずらの卵の目玉焼きをのせて

ガパオ

材料（1人分）

セロリ	20g（⅛本）
パプリカ（赤）	25g（⅕個）
にんにく	少々
しょうが	少々
サラダ油	小さじ2
鶏ひき肉	40g
ドライバジル	少々
ナンプラー	小さじ1
オイスターソース	小さじ¼
ごはん	150g
うずら卵	10g（1個）

エネルギー	塩分	たんぱく質	カリウム	リン
405kcal	1.6g	10.8g	322mg	138mg

作り方 [調理時間 15分]

1. セロリとパプリカは、それぞれ粗めのみじん切りにする。にんにくとしょうがは、それぞれみじん切りにする。
2. フライパンに油小さじ1強、にんにく、しょうがを弱火で炒め、香りがたったら、鶏肉を加え、ポロポロになるまで炒める。セロリ、パプリカ、ドライバジルを加えてさらに炒め、ナンプラー、オイスターソースで味を調える。
3. ごはんを器に盛り、上に**2**をのせる。
4. フライパンに残りの油を熱し、うずら卵を割り入れ、目玉焼きを作り、**3**にのせる。

たんぱく質を抑えるコツ

**鶏卵から
うずら卵にかえる**

目玉焼きに使う卵を鶏卵からうずら卵にチェンジ。うずら卵1個あたりのたんぱく質量は1.3gなので、鶏卵の約⅕に。そのぶんお肉の量を増やせるので満足感もアップ。

主食 ごはんもの

うなぎのたれを使わずだし茶漬け風に
ひつまぶし

材料（1人分）

うなぎのかば焼き …… 50g
小ねぎ ……………… 5g（1本）
みょうが …………… 5g（½個）
温かいごはん ……… 150g
だし汁（とり方はp.42参照）… ½カップ

作り方 ［調理時間10分］

1. うなぎのかば焼きは、5mm幅に切る。小ねぎとみょうがは、それぞれ小口切りにする。
2. 温かいごはんにうなぎを混ぜて器に盛る。
3. 小ねぎ、みょうがをのせ、だし汁をかける。

エネルギー	塩分	たんぱく質	カリウム	リン
380kcal	0.8g	13.0g	283mg	216mg

キムチを具にすればしょうゆいらず
キンパ

材料（1人分）

豚バラ肉 …………… 50g
キムチ ……………… 15g
三つ葉 ……………… 15g（⅓本）
温かいごはん ……… 150g
ごま油・いりごま …… 各小さじ½
のり ………………… ½枚

作り方 ［調理時間15分］

1. 豚バラ肉は、両面とも焼く。キムチは食べやすい大きさにきざむ。三つ葉はさっとゆでて、水けをしぼる。
2. 温かいごはんにごま油、いりごまを混ぜる。
3. ラップの上にのりをのせ、1のごはんを薄くのばして広げる。のりの向こう側を1.5cmくらい残す（ごはんはそこまで広げない）。
4. 手前に肉、キムチ、三つ葉を均等にのせ、具を押さえながら、ラップごと一気に巻いてなじませる。ラップをはずし、3等分に切る。

エネルギー	塩分	たんぱく質	カリウム	リン
454kcal	0.5g	10.6g	324mg	149mg

魚介から出る塩けとうまみで味がキマる
シーフードチャーハン

材料（1人分）
シーフードミックス(冷凍)‥50g
いんげん‥‥‥‥‥‥‥14g(2本)
にんじん‥‥‥‥‥‥‥10g(1cm)
サラダ油‥‥‥‥‥‥‥大さじ½
ごはん‥‥‥‥‥‥‥‥150g
しょうゆ‥‥‥‥‥‥‥小さじ½
塩‥‥‥‥‥‥‥‥‥‥ミニスプーン⅓
こしょう‥‥‥‥‥‥‥少々

作り方［調理時間15分（解凍時間除く）］
1 シーフードミックスは、常温で解凍させる。
2 いんげんはゆでて小口切りに、にんじんは短冊切りにして、さっとゆでる。
3 フライパンに油を熱し、シーフードミックス、いんげん、にんじんを中火で炒める。油が回ったらごはんを加えてさらに炒め、しょうゆ、塩で味を調え、こしょうをふる。

エネルギー	塩分	たんぱく質	カリウム	リン
329kcal	1.3g	9.1g	263mg	166mg

あさり缶の煮汁も使って鉄分補給
クリームリゾット

材料（1人分）
たまねぎ‥‥‥‥‥‥‥50g(¼個)
アスパラガス‥‥‥‥‥20g(1本)
あさり缶(水煮)‥‥‥‥55g(½缶弱)
オリーブ油‥‥‥‥‥‥小さじ1
生クリーム‥‥‥‥‥‥¼カップ
ごはん‥‥‥‥‥‥‥‥100g
粉チーズ‥‥‥‥‥‥‥小さじ½
粗びきこしょう‥‥‥‥少々

作り方［調理時間20分］
1 たまねぎはみじん切りにする。アスパラガスは小口切りにして、ゆでる。あさり缶は、汁と身を分けておく。
2 鍋にオリーブ油を熱してたまねぎをよく炒める。アスパラガスを加えさっと炒め、合わせて½カップのあさりの缶汁と水(分量外)とごはんを加えて、中火で煮る。
3 2に生クリーム、あさりを加える。汁けがなくなったら粉チーズを加え混ぜる。
4 器に盛り、粗びきこしょうをふる。

エネルギー	塩分	たんぱく質	カリウム	リン
475kcal	0.6g	12.6g	203mg	255mg

主食 | ごはんもの

酢飯に具材をのせるだけで簡単
ちらしずし

材料（1人分）

ごはん		150g
A	酢	小さじ2
	砂糖	小さじ2/3
	塩	ミニスプーン1/2
きざみのり		少々
まぐろ（刺身用/トロ）		30g
たい（刺身用）		20g
いくら		5g
青しそ		1枚
わさび		適量

作り方［調理時間10分］

1 ごはんに、よく混ぜたAを加えて混ぜ合わせる。

2 ごはんを器に盛り、きざみのりを散らす。まぐろ、たいを盛り、いくらをのせて、せん切りにしたしそを散らす。わさびをのせる。

エネルギー	塩分	たんぱく質	カリウム	リン
376kcal	0.8g	13.2g	229mg	185mg

スクランブルエッグを崩しながらいただく
オムライス

材料（1人分）

ハム	20g（1枚）
たまねぎ	50g（1/4個）
ピーマン	15g（1/2個）
サラダ油	小さじ2
ごはん	150g
トマトケチャップ	小さじ2
塩	ミニスプーン1
卵	45g（小1個）
マヨネーズ	小さじ1

作り方［調理時間15分］

1 ハムは5㎜幅に切る。たまねぎとピーマンは、それぞれみじん切りにする。

2 フライパンに油を熱し、たまねぎをよく炒める。ハム、ピーマンを加えてさらに炒め、ごはんを加える。全体に油が回ったら、トマトケチャップ、塩で味を調え、器に盛る。

3 割りほぐした卵にマヨネーズを加え混ぜ、温めたフライパンに流し入れて大きくかき混ぜる。半熟状になったら、2にのせる。

エネルギー	塩分	たんぱく質	カリウム	リン
470kcal	2.3g	12.0g	311mg	209mg

ツナかぼちゃサラダで大満足の低たんぱくサンドイッチ
クロワッサンサンド

材料（1人分）

かぼちゃ	50g
きゅうり	25g（¼本）
ツナ（油漬け缶）	35g（½缶）
マヨネーズ	大さじ½
粒マスタード	小さじ½
クロワッサン	50g（2個）

作り方［調理時間10分］

1. かぼちゃは2cm角に切り、ゆでて粗くつぶす。きゅうりは小口切りにし、塩少々（分量外）をふってしんなりさせ、水けをしぼる。
2. 軽く油をきったツナ缶と、かぼちゃ、きゅうりを合わせて、マヨネーズと粒マスタードで和える。
3. クロワッサンに切れ目を入れ、2のかぼちゃツナサラダをはさむ。

エネルギー	塩分	たんぱく質	カリウム	リン
401kcal	1.4g	9.8g	408mg	132mg

たんぱく質が少ない米粉食パンを使って
米粉パンのフレンチトースト

材料（作りやすい分量／2食分）

米粉食パン（6枚切り）	120g（2枚）
卵	50g（1個）
牛乳	½カップ
砂糖	大さじ1
バター	大さじ1
いちごジャム	大さじ1

作り方［調理時間15分］

1. 米粉食パンを、1枚を4等分にする。
2. 割りほぐした卵、牛乳、砂糖を混ぜ、1のパンを浸す。バターを熱したフライパンにパンを入れ、両面こんがりと焼く。
3. 器に1枚分の2を盛り、いちごジャムを添える。もう1枚のフレンチトーストは1切れずつラップで包み、冷凍保存する（食べるときは解凍後、電子レンジ（600W）で1〜2分加熱する）。

作りおき 冷凍で1週間

エネルギー	塩分	たんぱく質	カリウム	リン
296kcal	0.9g	10.6g	156mg	130mg

（1食分あたり）

主食｜パン・麺類

少なめのめんつゆで和えて減塩
和えそば

エネルギー	塩分	たんぱく質	カリウム	リン
348kcal	1.4g	12.1g	374mg	228mg

材料（1人分）

- ゆでそば …………… 200g（1玉）
- ちくわ …………… 30g（1本）
- 三つ葉 …………… 50g（1束）
- ごま油 …………… 小さじ1
- めんつゆ（ストレート）…… 大さじ1½
- きざみのり ………… 少々
- 七味唐辛子 ………… 少々

作り方［調理時間20分］

1. ゆでそばは、さっとゆでて冷水にとり、ざるにあげて水けをきる。
2. ちくわは長さを半分に切り、それぞれを4等分にする。三つ葉は、さっとゆで、ざく切りにする。
3. フライパンにごま油を入れて熱し、ちくわを炒める。
4. そばと三つ葉、ちくわを合わせ、めんつゆを入れて和える。器に盛り、きざみのりをのせ、七味唐辛子をふる。

生や水煮のトマトは使わずケチャップでカリウムをオフ
トマトパスタ

材料（1人分）

- スパゲティー ………… 50g
- 鶏もも肉 …………… 50g
- しめじ …………… 20g
- たまねぎ …………… 50g（¼個）
- ピーマン …………… 15g（½個）
- オリーブ油 ………… 大さじ1
- トマトケチャップ …… 大さじ1
- 塩 …………………… ミニスプーン¼
- 粉チーズ …………… 小さじ½

作り方［調理時間20分］

1. スパゲティーは、塩を加えず表示通りにゆでる。
2. 鶏もも肉は細切りにする。しめじは食べやすくほぐし、たまねぎは薄切りに、ピーマンは細切りにする。
3. フライパンにオリーブ油を熱し、鶏もも肉、しめじ、たまねぎ、ピーマンを炒め、トマトケチャップ、塩で味を調える。1を加えて和え、器に盛り、粉チーズをふる。

エネルギー	塩分	たんぱく質	カリウム	リン
424kcal	1.0g	15.9g	492mg	203mg

米粉の麺「フォー」は、たんぱく質量が中華麺の13%!
鶏肉のフォー

エネルギー	塩分	たんぱく質	カリウム	リン
240kcal	1.7g	8.4g	252mg	85mg

材料（1人分）

鶏むね肉	40g
水	1¾カップ
ねぎ(青い部分)・しょうが(薄切り)	各少々
塩	ミニスプーン1
フォー	40g
にら	20g(2本)
もやし	40g
ナンプラー	小さじ¼
カットレモン	1切れ

作り方 [調理時間15分]

1. 鍋に鶏肉、水、ねぎの青い部分、しょうがの薄切り、塩を入れて強火にかける。沸騰したらあくをとり、弱火で10分煮る。
2. フォーを表示通りにゆで、水けをきっておく。にらはざく切りにし、もやしはゆでる。
3. 1のスープをこし、ナンプラーを加える。
4. 器に2のフォー、そぎ切りにした鶏肉、もやし、にらをのせ、3のスープを注ぎ、レモンを添える。

ケチャップとオイスターソースでタイ風焼きそば
パッタイ

材料（1人分）

フォー	20g
厚揚げ	50g(¼枚)
小ねぎ	15g(3本)
パプリカ(黄)	15g(⅛個)
ピーナッツ	6g(3粒)
サラダ油	小さじ2
A トマトケチャップ	小さじ2
オイスターソース	小さじ¼
桜えび	2g

作り方 [調理時間20分]

1. フォーを表示通りにゆでる。
2. 厚揚げは短冊切りに、小ねぎは4cm長さに切る。パプリカは細切りに、ピーナッツは炒って粗くきざむ。
3. フライパンに油を熱し、中火で厚揚げ、小ねぎ、パプリカを炒める。フォーを加えてさらに炒め、Aで味を調える。
4. 器に盛り、桜えび、ピーナッツを散らす。

エネルギー	塩分	たんぱく質	カリウム	リン
281kcal	0.6g	8.4g	256mg	136mg

主食 | 麺類

オイスターソースでおいしく減塩
五目焼きそば

材料（1人分）
中華麺（蒸し）	120g（1玉）
豚肩ロース肉	20g
えび	20g（2尾）
キャベツ	50g（葉1枚）
たまねぎ	30g（½個）
パプリカ(赤)	30g（¼個）
長ねぎ	16g（5cm）
サラダ油	小さじ2
A ウスターソース・オイスターソース	各大さじ¼
青のり	少々

作り方 [調理時間15分]
1. 中華麺は電子レンジ(600W)で30秒程度加熱し、ほぐす。
2. 豚肩ロース肉は2cm幅に切る。えびは背ワタをとってゆでる。キャベツはざく切りに、たまねぎとパプリカは5mm幅に切る。ねぎは斜め薄切りにする。
3. フライパンに油を熱し、豚肩ロース肉を中火で炒める。脂が出てきたらキャベツ、たまねぎ、パプリカを加えてさらに炒める。しんなりしたら麺をほぐしながら加えてさらに炒め、えびを加えてAで味を調える。
4. 器に盛り、青のりをふる。

エネルギー	塩分	たんぱく質	カリウム	リン
375kcal	1.4g	13.5g	491mg	180mg

ポン酢を使って塩分控えめに
冷やし中華

材料（1人分）
中華麺	60〜75g（½玉）
えのきたけ	30g
チンゲン菜	50g（½株）
ハム	20g（1枚）
ミニトマト	10g（1個）
半熟卵	½個
A ポン酢しょうゆ	小さじ2
ごま油	小さじ1
いりごま	少々

作り方 [調理時間10分]
1. 中華麺は、表示通りにゆでて、冷水にとって冷ます。
2. えのきたけはさっとゆでる。チンゲン菜はゆでて、ざく切りにする。ハムは細切りに、ミニトマトは4等分にする。
3. 器に中華麺を盛り、2、半熟卵を盛りつけ、よく混ぜたAを回しかける。ごまを散らす。

エネルギー	塩分	たんぱく質	カリウム	リン
291kcal	1.8g	12.5g	585mg	198mg

外食ではエネルギーやたんぱく質、塩分の量を調節しにくいので、ランチは自分で栄養管理がしやすいお弁当がおすすめです。主食には、たんぱく質摂取量が1日50gの人はふつうのごはんを、40gの人は治療用特殊食品（→p.173）を使って下さい。

お弁当

副菜
たまねぎとにんじんのグリル

材料（1人分）

たまねぎ	30g	(⅙個)
にんじん	20g	(2cm)
塩	少々	

作り方[調理時間10分]

1. たまねぎは1cm厚さに、にんじんは5mm厚さに切る。
2. 主菜のタンドリーチキンと一緒に魚焼きグリルで火が通るまで焼き、塩をふる。

エネルギー	塩分	たんぱく質	カリウム	リン
16kcal	0.3g	0.3g	99mg	14mg

主菜
タンドリーチキン

材料（1人分）

手羽先		40g（2本）
A	マーマレード・ヨーグルト	各小さじ1
	トマトケチャップ	小さじ½
	カレー粉・塩	各ミニスプーン½
	おろしにんにく・しょうが汁	各少々

作り方[調理時間10分（漬ける時間除く）]

1. 手羽先を、よく混ぜたAで漬け、冷蔵庫で2時間以上置く。
2. 1を魚焼きグリルで、香ばしく焼き色がつくまで焼く。

エネルギー	塩分	たんぱく質	カリウム	リン
89kcal	0.8g	6.9g	122mg	68mg

ゆでアスパラ＆ミニトマトのごまマヨ添え

材料（1人分）

アスパラガス	30g	(小2本)
ミニトマト	20g	(2個)
A	マヨネーズ	小さじ1
	すりごま	小さじ½

作り方[調理時間5分]

1. アスパラガスは、ゆでてから3cm長さに切る。
2. Aをよく混ぜ、アスパラガスとミニトマトに添える。

エネルギー	塩分	たんぱく質	カリウム	リン
45kcal	0.1g	1.0g	144mg	32mg

主食（1人分）
ごはん（フライドオニオンのせ）　180g

エネルギー	塩分	たんぱく質	カリウム	リン
286kcal	0.0g	3.6g	63mg	64mg

たんぱく質の摂取量が1日40gの人は、同量の「低たんぱくごはん」（→p.173）にかえる。

主菜と副菜を一緒に調理するからラクチン
タンドリーチキン弁当

エネルギー	塩分	たんぱく質	カリウム	リン
436kcal	1.2g	11.8g	428mg	178mg

- ごはん（フライドオニオンのせ）
- タンドリーチキン
- たまねぎとにんじんのグリル
- ゆでアスパラ&ミニトマトのごまマヨ添え

減塩レシピでもちゃんとおいしい和食弁当

ぎんだら塩麹漬け揚げ弁当

エネルギー	塩分	たんぱく質	カリウム	リン
637kcal	1.0g	12.6g	674mg	242mg

ごはん（青のりをふる）

かぼちゃの大学いも風

ぎんだらの塩麹漬け揚げ

しめじのしょうゆ炒め

> 副菜
しめじの
しょうゆ炒め

材料（1人分）

しめじ ……………… 40g
ごま油 ……………… 小さじ1
しょうゆ・酒 ……… 各小さじ¼

作り方［調理時間 **5**分］

1. しめじは食べやすくほぐす。
2. フライパンにごま油を熱し、しめじを炒める。火が通ったら、しょうゆと酒を合わせたものをからめる。

エネルギー	塩分	たんぱく質	カリウム	リン
47kcal	0.2g	0.7g	154mg	41mg

かぼちゃの
大学いも風

材料（1人分）

かぼちゃ ………… 40g（くし形約2cm分）
はちみつ ………… 大さじ½
揚げ油 …………… 適量
黒ごま …………… 少々

作り方［調理時間 **10**分］

1. かぼちゃは角切りにする。
2. かぼちゃを160度の油で素揚げして、はちみつをからめ、ごまを散らす。

エネルギー	塩分	たんぱく質	カリウム	リン
94kcal	0.0g	0.6g	189mg	21mg

> **減塩**のコツ
>
> **少量の塩麹で塩味とうまみが感じられる**
> 植物性発酵食品の塩麹に魚や肉を漬け込むと、酵素が素材のうまみを引き出すため、少量でもしっかり塩味を感じられます。また塩麹に含まれる乳酸菌が腸内で善玉菌を増やし、腸内環境をよくします。

> 主菜
ぎんだらの
塩麹漬け揚げ

材料（1人分）

ぎんだら …………… 60g
塩麹 ………………… 小さじ1
片栗粉 ……………… 適量
揚げ油 ……………… 適量
パプリカ（赤）……… 30g

作り方［調理時間 **10**分（漬ける時間除く）］

1. ぎんだらを塩麹に2時間以上漬ける。
2. パプリカは縦に切る。
3. 1に片栗粉をまぶし、180度の揚げ油で揚げる。同じ油でパプリカも揚げる。

エネルギー	塩分	たんぱく質	カリウム	リン
214kcal	0.8g	7.6g	271mg	118mg

> 主食 （1人分）
ごはん（青のりをふる）　180g

エネルギー	塩分	たんぱく質	カリウム	リン
282kcal	0.0g	3.7g	60mg	62mg

> たんぱく質の摂取量が1日40gの人は、同量の「低たんぱくごはん」（→p.173）にかえる。

減塩作りおきおかず

時間があるときに作りおきしておくとお弁当に役立つ減塩レシピです。
各栄養成分は1回分で計算しています。

れんこんとにんじんのきんぴら

ズッキーニの粒マスタード和え

材料（作りやすい分量／3回分）
ズッキーニ…160ｇ、オリーブ油…大さじ1、塩…ミニスプーン½、粒マスタード…大さじ1

作り方［調理時間10分］
1　ズッキーニは、輪切りにする。
2　フライパンにオリーブ油を熱し、ズッキーニを焼く。塩をふり、粒マスタードを加えてなじませる。

エネルギー	塩分	たんぱく質	カリウム	リン
56kcal	0.4g	0.8g	180mg	33mg

作りおき：冷蔵で3〜4日間

ぜんまいのごま炒め

材料（作りやすい分量／4回分）
ぜんまい（水煮）…200ｇ、ごま油…大さじ1、しょうゆ・酒…各小さじ1、すりごま…小さじ1

作り方［調理時間10分］
1　ぜんまいは食べやすい大きさに切る。
2　フライパンにごま油を熱し、ぜんまいを炒める。しょうゆ・酒を合わせて回し入れてからめ、すりごまをふる。

エネルギー	塩分	たんぱく質	カリウム	リン
39kcal	0.2g	0.6g	27mg	15mg

作りおき：冷蔵で3〜4日間

自家製鮭フレーク

材料（作りやすい分量／4回分）
鮭…160ｇ（2切れ）、酒…小さじ2、A（酒…大さじ1、塩…ミニスプーン1、みりん…小さじ1）

作り方［調理時間10分（蒸らす時間を除く）］
1　耐熱皿に鮭を並べ、酒をふって、ラップをし、電子レンジ（600W）で3分加熱し、20〜30分蒸らす。
2　鮭をほぐして、炒める。水分が飛んだら、Aを加えてからめ、水けがなくなるまで炒める。

エネルギー	塩分	たんぱく質	カリウム	リン
52kcal	0.4g	7.6g	141mg	97mg

作りおき：冷蔵で3〜4日間

れんこんとにんじんのきんぴら

材料（1人分）
れんこん…30ｇ、にんじん…30ｇ、A（しょうゆ…小さじ½、みりん・酒…各小さじ1）、ごま油…小さじ1、唐辛子（輪切り）…少々

作り方［調理時間10分］
1　れんこんとにんじんは、それぞれいちょう切りにしてゆでる。
2　フライパンにごま油と唐辛子を熱し、れんこんとにんじんを加えて炒め、Aをからめる。

エネルギー	塩分	たんぱく質	カリウム	リン
74kcal	0.5g	0.8g	225mg	35mg

作りおき：冷蔵で3〜4日間

ひき肉のこしょう炒め

材料（作りやすい分量／4回分）
たまねぎ…50ｇ、サラダ油…大さじ1、合いびき肉…200ｇ、塩…ミニスプーン1、こしょう…少々

作り方［調理時間10分］
1　たまねぎはみじん切りにする。
2　フライパンに油を熱し、たまねぎを炒める。しんなりしたら、合いびき肉を加え、ぽろぽろに炒めて、塩、こしょうで味を調える。

エネルギー	塩分	たんぱく質	カリウム	リン
142kcal	0.4g	7.8g	160mg	61mg

作りおき：冷蔵で3〜4日間

さつまいものレモン煮

材料（作りやすい分量／4回分）
さつまいも…200ｇ、水…適量、レモン（薄切り）…2枚、砂糖…大さじ2

作り方［調理時間15分］
1　さつまいもは、いちょう切りにする。
2　鍋に1を入れ、水をかぶるくらい加え、レモン、砂糖を加えて落としぶたをする。さつまいもがやわらかくなるまで煮る。

エネルギー	塩分	たんぱく質	カリウム	リン
82kcal	0.1g	0.4g	192mg	23mg

作りおき：冷蔵で3〜4日間

Part 6

エネルギー不足をサポート
デザートレシピ

くずきりや寒天を使ったデザートならたんぱく質は2g以下、フルーツを使ってもたんぱく質を3g以下に抑えています。和洋中とバリエーション豊かに16品紹介します。

りんごのレンジコンポート
クリームチーズ和え (p.196)

くずもち風きなこもち (p.199)

【INDEX】
- 洋なし缶のババロア風…p.192
- いちごジャムの炭酸ゼリー…p.192
- ゆであずきの寒天よせ…p.193
- かるかん…p.193
- 缶詰フルーツのフルーツポンチ…p.194
- りんごジュース寒天…p.194
- さつまいももち…p.195
- タピオカ入りクリームティー…p.195
- りんごのレンジコンポート クリームチーズ和え…p.196
- 栗甘露煮のココア和え…p.196
- みつ豆風くずもち…p.197
- タピオカのココナッツミルク仕立て…p.197
- ヨーグルトマシュマロ…p.198
- くずきりの甘酒仕立て…p.198
- くずもち風きなこもち…p.199
- 揚げ白玉…p.199

揚げ白玉 (p.199)

デザートの食べ方のポイント

デザートやおやつは、不足しがちな摂取エネルギーを補うものと考えます。
できるだけたんぱく質量が少ないものを選びましょう。

1 1日の**摂取エネルギー量**の範囲内で食べる

デザートは、1日の摂取エネルギーの範囲内でなら食べてもかまいません。右の例のようにエネルギーが足りない場合は、デザートで調整します。つまり、デザートは、==たんぱく質を適正量にした場合に不足するエネルギーの補給に活用しましょう==。

市販品を買うときは、エネルギー量やたんぱく質量をパッケージの栄養成分表示などで確認してからにしましょう。

たとえば
1日の摂取エネルギー量が
1600kcalの人の場合

朝食 400kcal ＋ 昼食 500kcal ＋ 夕食 600kcal
＋ おやつ 100kcal （100kcalまでのおやつはOK）
＝ **1600kcal**

2 間食するときは**食べる時間**を決める

おやつは、食べる時間を決め、それ以外は食べないようにします。また手の届くところにお菓子をおいておくのはNG。ついつい手を伸ばしてしまわないように、その日に食べる分だけを作ったり買ったりするようにしましょう。

食物繊維やビタミンCが手軽にとれるフルーツも◎。ただし、==フルーツはエネルギー量が高く、カリウムが多く含まれているものもあります==。カリウム量が決められている場合は缶詰にかえるとカリウム量が減らせます。

おやつを食べるときに気をつけるポイント

時間
- 1日の中で食べる時間を決める
- 夕食後は避ける。特に寝る2時間前はNG
- おやつは毎日ではなく、週2〜3回にする
- 手の届くところにお菓子を置かない

量
- 量を決めて食べる
- 食べる分だけ準備する

栄養成分
- 低エネルギー、低糖、低塩分のものを選ぶ。ヨーグルトやくだものがベター
- 洋菓子より和菓子のほうが低エネルギー

3 手作りなら寒天を使ってボリュームアップ

デザートやおやつを手作りにすれば、食べられるエネルギー量や脂肪分、たんぱく質量を計算できます。

寒天やくずきりを使ったり、フルーツやフルーツジュースを使ったりすれば、ボリュームが出て満足感が得られます。簡単に作れて作りおきできるおやつもあるので、192ページ以降のレシピを参考にぜひ作ってみて下さい。

りんごジュース寒天
→p.194

ゆであずきの寒天よせ
→p.193

4 食べ過ぎには注意する

市販の甘いお菓子やスナック菓子、スイーツ類は、高エネルギーのものが多いため、食べる場合は、決めた分量だけ器に出すようにします。また、卵や生クリームをふんだんに使った洋菓子やケーキは高エネルギーのうえ、高たんぱく、高脂肪でもあります。

食べられる分量だけにし、食べすぎないように気をつけましょう。

▶甘いお菓子はエネルギー量とたんぱく質量に注意

	もなか 1個40g	ミルクチョコレート 1/5枚10g	アップルパイ 1個100g
エネルギー量	111kcal	55kcal	294kcal
たんぱく質量	1.7g	0.6g	3.7g

（数値は「日本食品標準成分表2020年版（八訂）」より）

ドリンクにもカリウムが多く含まれていることが

カリウムはフルーツ以外に、ドリンクにも多く含まれています。緑茶は1ℓ以上飲むとカリウムのとりすぎに。そのほか、トマトジュースや野菜ジュースなど、体によいとされているものの中にもカリウムは含まれています。カリウム量が制限されている場合は、飲む前に栄養成分を確認しましょう。

▶ドリンクに含まれているカリウムの量

ドリンク名	カリウム量	ドリンク名	カリウム量
煎茶	54mg	グレープフルーツジュース（濃縮還元）	336mg
ほうじ茶	48mg	グレープフルーツジュース（ストレート）	378mg
麦茶	12mg	りんごジュース（濃縮還元）	231mg
ウーロン茶	26mg	りんごジュース（ストレート）	162mg
紅茶	16mg	にんじんジュース	588mg
コーヒー	130mg	トマトジュース	546mg
コーヒー飲料（乳製品入り・加糖）	120mg	野菜ジュース	483mg
牛乳	300mg	サイダー	微量
オレンジジュース（濃縮還元）	399mg	果汁入り炭酸飲料	2mg
オレンジジュース（ストレート）	378mg	スポーツドリンク	52mg

（200mLあたり「日本食品標準成分表2020年版（八訂）」より）

もも缶でアレンジしてもおいしい
洋なし缶のババロア風

材料（作りやすい分量・2人分）

洋なし缶	200g
ゼラチン	5g
水	小さじ4
生クリーム	¼カップ
砂糖	大さじ1

作り方［調理時間**10分**（冷やし固める時間除く）］

1. 洋なし缶は、15gを取り分けて薄切りにしておく。ゼラチンは水でふやかし、電子レンジ(600W)で10〜20秒加熱して溶かす。
2. 残りの洋なし缶、生クリーム、砂糖をミキサーで撹拌し、なめらかになったら**1**のゼラチンを混ぜながら加える。
3. 器に入れて冷蔵庫で2時間以上冷やし固め、食べる直前に**1**の洋なしをトッピングする。

エネルギー	塩分	たんぱく質	カリウム	リン
206kcal	0.0g	2.7g	74mg	26mg

（1人分あたり）

シュワッとした口どけで食べやすい！
いちごジャムの炭酸ゼリー

材料（1人分）

いちご	60g（4個）
ゼラチン	2g
水	小さじ1½
いちごジャム	45g
炭酸水	60g

作り方［調理時間**10分**（冷やし固める時間除く）］

1. いちごは、食べやすい大きさに切る。ゼラチンは水でふやかし、電子レンジ(600W)で10〜20秒加熱して溶かす。
2. いちごジャム、炭酸水を混ぜ、**1**のゼラチンを加え混ぜる。器に入れ、いちごをのせて冷やし固める。

エネルギー	塩分	たんぱく質	カリウム	リン
138kcal	0.0g	2.3g	132mg	25mg

デザート

寒天を使ってカリウムオフ
ゆであずきの寒天よせ

材料（1人分）

粉寒天	1g
水	120mL
砂糖	大さじ1½
ゆであずき	35g
キウイ	20g（¼個）

作り方 ［調理時間 **10分**（冷やし固める時間除く）］

1. 粉寒天、水を小鍋に入れて混ぜながら1～2分煮立て、火からおろして砂糖を混ぜる。
2. 器にゆであずき、さいの目に切ったキウイを入れ、粗熱がとれた1を流し入れて冷やし固める。

エネルギー	塩分	たんぱく質	カリウム	リン
135kcal	0.1g	1.4g	117mg	34mg

作りおき
冷蔵で
3～4日間

小麦粉ではなく長いもを使う、鹿児島のまんじゅう
かるかん

材料（作りやすい分量・4個分）

長いも	65g（4cm）
砂糖	大さじ4
ぬるま湯	¼カップ
上新粉	60g

作り方 ［調理時間 **40分**］

1. 長いもをすりおろして砂糖を加え、よく混ぜる。湯、上新粉の順に加えてさらに均一に混ぜる。
2. 紙カップの中にアルミカップを入れ、そこに1を8分目まで入れて、蒸し器で強火で30分蒸す。

エネルギー	塩分	たんぱく質	カリウム	リン
97kcal	0.0g	1.1g	83mg	19mg

（1個分あたり）

生のフルーツよりカリウム量を40%オフ!
缶詰フルーツのフルーツポンチ

材料（1人分）
白桃・パイナップル・みかん(各缶)
　………………… 各25g
寒天(固めたもの) ……… 25g
〈シロップ〉
　砂糖・水 ………… 各大さじ1
　レモン汁 ………… 小さじ1

作り方 [調理時間10分]
1. シロップの砂糖と水を混ぜ、電子レンジ(600W)で30秒加熱し、砂糖を溶かす。レモン汁を加える。
2. 食べやすい大きさに切ったフルーツ、さいの目に切った寒天を盛り合わせ、1をかける。

エネルギー	塩分	たんぱく質	カリウム	リン
92kcal	0.0g	0.3g	74mg	7mg

ジュースを使ってカリウム減
りんごジュース寒天

材料（作りやすい分量・2人分）
りんごジュース ……… 250mL
砂糖 ………………… 大さじ2
粉寒天 ……………… 2g

作り方 [調理時間5分（冷やし固める時間除く）]
1. 小鍋に材料をすべて入れて、火にかける。煮立ったら弱火にして1〜2分煮詰める。
2. 型に入れて冷やし固める。

エネルギー	塩分	たんぱく質	カリウム	リン
91kcal	0.0g	0.3g	97mg	8mg

（1人分あたり）

カリウムを抑えるコツ

フルーツは生ではなくジュースで
りんごには塩分を排出する作用があるカリウムが豊富。減塩にはおすすめですが、カリウム制限がある方は、生ではなくジュースを活用して。カリウム量が30%減に。

デザート

冷凍保存できる和風スイートポテト
さつまいももち

作りおき 冷凍で2週間

材料（作りやすい分量・16個分）

さつまいも	（皮をむいて）200g（⅔本）
片栗粉	大さじ2
生クリーム	大さじ1
サラダ油	小さじ2

作り方［調理時間15分］

1. さつまいもは皮をむき、1cm厚さに切る。鍋にさつまいもとかぶるくらいの水（分量外）を入れ、やわらかくなるまで煮る。ゆで湯を捨ててなめらかになるまでつぶす。

2. 1に片栗粉、生クリームを加えて混ぜ、小判型にする。薄く油を引いたフライパンで、焼き色がつくまで両面を焼く。残りはラップで包んで冷凍する。

エネルギー	塩分	たんぱく質	カリウム	リン
98kcal	0.0g	0.6g	244mg	28mg

（1人分・4個あたり）

タピオカは塩分もたんぱく質もゼロ！
タピオカ入りクリームティー

作りおき 冷蔵で3〜4日間

材料（1人分）

タピオカ（白・小粒）	20g
紅茶	¾カップ
砂糖	大さじ1
生クリーム	大さじ1

作り方［調理時間10分（タピオカをゆでる時間除く）］

1. タピオカは、表示通りゆで、水けをきっておく。

2. 紅茶に砂糖を加え、よく混ぜる。

3. カップにタピオカを入れ、2を注ぐ。生クリームを加え、混ぜて食べる。

エネルギー	塩分	たんぱく質	カリウム	リン
168kcal	0.0g	0.4g	26mg	17mg

電子レンジでチンするだけ！
りんごのレンジコンポート クリームチーズ和え

材料（作りやすい分量・2人分）

りんご	240g（1個）
レモン汁	大さじ1
砂糖	大さじ1
シナモンスティック	1本
クリームチーズ	40g
三温糖	大さじ1

作り方［調理時間10分］

1. りんごはくし形に切り、1切れを3〜4等分にする。
2. 耐熱ボウルに**1**のりんご、レモン汁、砂糖、シナモンスティックを入れ、ラップでぴっちり包む。さらにふんわりラップをして電子レンジ(600W)で3分加熱して蒸らす。
3. 器に汁けをきったりんごを盛り、クリームチーズに三温糖を混ぜたものを添える。

作りおき 冷蔵で3〜4日間

エネルギー	塩分	たんぱく質	カリウム	リン
163kcal	0.1g	1.7g	166mg	32mg

（1人分あたり）

作りおき 冷蔵で3〜4日間

マロンチョコみたいな低たんぱくスイーツ
栗甘露煮のココア和え

材料（作りやすい分量・2人分）

ココア	小さじ2
砂糖	大さじ½
栗甘露煮	90g（6個）

作り方［調理時間5分］

1. ココアと砂糖をよく合わせる。
2. 栗甘露煮を加えて転がしてからめる。

エネルギー	塩分	たんぱく質	カリウム	リン
121kcal	0.0g	0.9g	90mg	24mg

（1人分あたり）

たんぱく質を抑えるコツ

市販の甘露煮を使えば簡単

栗甘露煮のたんぱく質量は生栗の40％減で、エネルギーは1.4倍以上。市販の甘露煮を使うことで皮をむいたりゆでたりする手間も省けます。

デザート

減塩、低たんぱく、低カリウムの安心デザート
みつ豆風くずもち

材料（作りやすい分量・2人分）

水	½カップ
片栗粉	大さじ2
砂糖	大さじ1と½
いちご	30g（2個）
キウイ	43g（½個）
砂糖・水	各大さじ1

作り方［調理時間15分］

1. 水、片栗粉、砂糖を小鍋に入れて、混ぜながら火にかける。透き通って、まとまってきたら、バットに平らにならして冷まし、さいの目に切る。
2. いちご、キウイとも食べやすい大きさに切る。砂糖と水を合わせて、電子レンジ(600W)で30秒加熱し、シロップを作る。
3. 器に1のくずもちと2のフルーツを盛り合わせ、2のシロップをかける。

エネルギー	塩分	たんぱく質	カリウム	リン
90kcal	0.0g	0.3g	93mg	15mg

（1人分あたり）

いちごでアレンジしてもおいしい
タピオカの
ココナッツミルク仕立て

材料（1人分）

タピオカ(白・小粒)	20g
ブルーベリーとラズベリー（合わせて）	40g
ココナッツミルク	30g
生クリーム	大さじ1
砂糖	小さじ2

作り方［調理時間5分（タピオカをゆでる時間除く）］

1. タピオカは、表示通りにゆで、水けをきる。
2. タピオカ、フルーツを器に入れ、ココナッツミルク、生クリーム、砂糖を混ぜたものをかける。

エネルギー	塩分	たんぱく質	カリウム	リン
218kcal	0.0g	1.1g	127mg	37mg

低たんぱくのマシュマロでヨーグルトをかさ増し
ヨーグルトマシュマロ

材料（1人分）

ヨーグルト（無糖）	60g
マシュマロ	15g
パイナップル（缶詰）	50g

作り方 ［調理時間 **5**分（冷やす時間除く）］

1. ヨーグルトとマシュマロは器に入れて混ぜ、半日くらい冷蔵庫で冷やす。
2. ひと口大に切ったパイナップルを加えて、さらに混ぜる。

エネルギー	塩分	たんぱく質	カリウム	リン
120kcal	0.1g	2.4g	162mg	64mg

カリウムを減らすコツ

フルーツ缶のシロップは捨てる
フルーツは生ではなく缶詰にすると20〜30%程度カリウムの摂取量が減らせます。シロップにカリウムが流れ出ているので、フルーツだけを食べましょう。

「飲む点滴」と呼ばれる甘酒を使ったデザート
くずきりの甘酒仕立て

材料（1人分）

くずきり（乾物）	15g
みかん（缶詰）	40g
甘酒	大さじ1
生クリーム	大さじ1

作り方 ［調理時間 **5**分（くずきりを戻す時間除く）］

1. くずきりは、表示通りにお湯で戻し、冷やしておく。
2. 器に1のくずきり、みかんを盛り合わせ、甘酒と生クリームを合わせたものをかける。

食材選びのコツ

甘酒は体にいい発酵食品
米麹から作られた甘酒は消化吸収を助ける、血行・代謝を促進、活性酸素の発生を抑えるなど、いいことずくめの発酵食品。デザートに取り入れたい食材のひとつです。

エネルギー	塩分	たんぱく質	カリウム	リン
148kcal	0.0g	0.7g	44mg	22mg

デザート

低たんぱくの片栗粉で作る、ひんやりスイーツ
くずもち風きなこもち

作りおき 冷蔵で3〜4日間

材料（作りやすい分量・2人分）

水	½カップ
片栗粉	大さじ2
砂糖	大さじ1と½
きな粉	小さじ1
黒蜜	大さじ1

作り方［調理時間 **10分**（冷やす時間除く）］

1. 水、片栗粉、砂糖を小鍋に入れて、混ぜながら火にかける。透き通って、まとまってきたら、バットに平らにならして冷ます。
2. 1のくずもちを食べやすい大きさに切って盛り、きな粉と黒蜜をかける。

エネルギー	塩分	たんぱく質	カリウム	リン
80kcal	0.0g	0.3g	76mg	8mg

（1人分あたり）

作りおき 冷蔵で3〜4日間

揚げ白玉でエネルギーアップ
揚げ白玉

材料（作りやすい分量・18個分）

白玉粉	50g
水	40mL
砂糖	大さじ1
黒ごま	適量
揚げ油	適量

作り方［調理時間 **10分**］

1. 白玉粉と水、砂糖を合わせ、耳たぶよりやわらかめになるまで、しっかりとこねる。
2. 18等分して丸める。そのうち9個には黒ごまをまんべんなくまぶす。
3. 160度の揚げ油で3〜4分揚げる。浮いてきたら油をよくきる。
4. 器に4個盛る。

エネルギー	塩分	たんぱく質	カリウム	リン
100kcal	0.0g	1.4g	17mg	27mg

（1人分・4個あたり）

ひと目でわかる！ 栄養成分早見表

本書で使用している代表的な食材50gあたりのエネルギー、塩分、たんぱく質、カリウム、リンの栄養成分を紹介。肉や魚は種類や部位によってエネルギーやたんぱく質量が大きく異なります。栄養成分はすべて調理前の値ですが、カリウムはゆでこぼしたり、水にさらしたりすることで少なくなります。食材選びの参考にして下さい。

肉

食材名	エネルギー	塩分	たんぱく質	カリウム	リン
牛肩ロース（薄切り）肉 [脂身つき]	148kcal	0.1g	6.9g	130mg	70mg
牛バラ（カルビ）肉	191kcal	0.1g	5.6g	95mg	55mg
牛もも肉 [脂身つき]	98kcal	0.1g	8.0g	165mg	90mg
豚肩ロース肉 [脂身つき]	119kcal	0.1g	7.4g	150mg	80mg
豚バラ肉 [脂身つき]	183kcal	0.1g	6.4g	120mg	65mg
豚ひき肉	105kcal	0.1g	8.0g	145mg	60mg
豚ヒレ肉	59kcal	0.1g	9.3g	215mg	125mg
豚もも肉 [脂身つき]	86kcal	0.1g	8.5g	175mg	100mg
豚ロース肉 [脂身つき]	124kcal	0.1g	8.6g	155mg	90mg
鶏手羽先 [皮つき]	95kcal	0.1g	8.3g	110mg	75mg
鶏ひき肉	86kcal	0.1g	7.3g	125mg	55mg
鶏むね肉 [皮つき]	67kcal	0.1g	8.7g	170mg	100mg
鶏もも肉 [皮つき]	95kcal	0.1g	8.5g	145mg	85mg

魚介

食材名（ ）内は目安量	エネルギー	塩分	たんぱく質	カリウム	リン
あじ（小½尾）	56kcal	0.2g	8.4g	180mg	115mg
いか [するめいか]（¼杯）	38kcal	0.3g	6.7g	150mg	125mg
いわし [まいわし]（小1尾）	78kcal	0.1g	8.2g	135mg	115mg
えび [ブラックタイガー][むき]（5尾）	39kcal	0.2g	7.6g	115mg	105mg
かじき [めかじき]（½切れ）	70kcal	0.1g	7.6g	220mg	130mg
かつお [春獲り]（2.5cm）	54kcal	0.1g	10.3g	215mg	140mg
ぎんだら（½切れ）	105kcal	0.1g	6.1g	170mg	90mg
さけ [しろさけ]（½切れ）	64kcal	0.1g	9.5g	175mg	120mg
さば（大½切れ）	106kcal	0.2g	8.9g	165mg	110mg
さわら（小2切れ）	81kcal	0.1g	9.0g	245mg	110mg
たい [まだい]（大½切れ）	80kcal	0.1g	9.1g	225mg	120mg
ぶり（大½切れ）	111kcal	0.1g	9.3g	190mg	65mg
まぐろ [きはだ]（5切れ）	51kcal	0.1g	10.3g	225mg	145mg

大豆製品・卵

食材名（ ）内は目安量	エネルギー	塩分	たんぱく質	カリウム	リン
厚揚げ（1/4丁）	72kcal	0.0g	5.4g	60mg	75mg
絹ごし豆腐（1/6丁）	28kcal	0.0g	2.7g	75mg	34mg
木綿豆腐（1/6丁）	37kcal	0.0g	3.4g	55mg	44mg
鶏卵（M玉1個）	71kcal	0.2g	5.7g	65mg	85mg

野菜

食材名（　）内は目安量	エネルギー	塩分	たんぱく質	カリウム	リン
アスパラガス（3本）	11kcal	0.0g	0.9g	135mg	30mg
えのきたけ（小½パック）	17kcal	0.0g	0.8g	170mg	55mg
エリンギ	16kcal	0.0g	0.9g	170mg	45mg
オクラ（7本）	13kcal	0.0g	0.8g	130mg	29mg
かぶ（小1個弱）	10kcal	0.0g	0.3g	125mg	13mg
かぼちゃ（1/24個）	39kcal	0.0g	0.6g	225mg	22mg
カリフラワー（小房3個）	14kcal	0.0g	1.1g	205mg	34mg
キャベツ（葉1枚）	11kcal	0.0g	0.5g	100mg	14mg
きゅうり（½本）	7kcal	0.0g	0.4g	100mg	18mg
ごぼう（¼本）	29kcal	0.0g	0.6g	160mg	31mg
小松菜（1株）	7kcal	0.0g	0.7g	250mg	23mg
板こんにゃく（⅕枚）	3kcal	0.0g	0.1g	17mg	3mg
さつまいも（⅙本）	64kcal	0.1g	0.4g	190mg	23mg
さといも（1個）	27kcal	0.0g	0.6g	320mg	28mg
しいたけ（4枚）	13kcal	0.0g	1.0g	145mg	44mg
ぶなしめじ（½パック）	13kcal	0.0g	0.8g	185mg	48mg
じゃがいも（小1個）	30kcal	0.0g	0.7g	205mg	24mg
春菊（小2株）	10kcal	0.1g	1.0g	230mg	22mg
しらたき	4kcal	0.0g	0.1g	6mg	5mg
ズッキーニ（⅓本）	8kcal	0.0g	0.5g	160mg	19mg
大根（1㎝厚さの輪切り1枚）	8kcal	0.0g	0.2g	115mg	9mg
たけのこ［水煮］（¼個）	16kcal	0.0g	1.2g	235mg	30mg
たまねぎ（¼個）	17kcal	0.0g	0.4g	75mg	16mg
チンゲン菜（½株）	5kcal	0.1g	0.4g	130mg	14mg
トマト（小½個）	10kcal	0.0g	0.3g	105mg	13mg
長いも（4.5～5㎝）	32kcal	0.0g	0.8g	215mg	14mg
なす（⅔本）	9kcal	0.0g	0.4g	110mg	15mg
菜の花（¼束）	18kcal	0.0g	1.7g	205mg	39mg
なめこ（½パック）	7kcal	0.0g	0.4g	65mg	18mg
にら（5本）	9kcal	0.0g	0.7g	255mg	16mg
にんじん（小⅓本）	15kcal	0.1g	0.3g	135mg	13mg
白菜（葉大½枚）	7kcal	0.0g	0.3g	110mg	17mg
パプリカ［赤］（½個弱）	14kcal	0.0g	0.4g	105mg	11mg
パプリカ［黄］（½個弱）	14kcal	0.0g	0.3g	100mg	11mg
ピーマン（1½個）	10kcal	0.0g	0.4g	95mg	11mg
ブロッコリー（¼個弱）	19kcal	0.0g	1.9g	230mg	55mg
ほうれん草（小2株）	9kcal	0.0g	0.9g	345mg	24mg
まいたけ（½パック）	11kcal	0.0g	0.6g	115mg	27mg
マッシュルーム（3個）	8kcal	0.0g	0.9g	175mg	50mg
水菜（1株）	12kcal	0.1g	1.0g	240mg	32mg
ミニトマト（5個）	15kcal	0.0g	0.4g	145mg	15mg
もやし［緑豆］（¼袋）	8kcal	0.0g	0.6g	35mg	13mg
レタス（3～4枚）	6kcal	0.0g	0.3g	100mg	11mg
れんこん（¼節）	33kcal	0.1g	0.7g	220mg	37mg

※たけのこ以外はすべて「生」の場合。魚の骨や卵の殻、野菜の皮などを除く、食べられる部分（可食部）50gあたりの栄養計算値。（「日本食品標準成分表2020年版（八訂）」より）

p.204からご覧下さい　>>>　**食材別索引**

ソーセージのジャーマンポテト ･･･････････ 141
カレーライス ････････････････････････ 174

●**春菊**
焼き豆腐のすき焼き風 ･･････････････････ 105
春菊のごま和え ･･････････････････････ 128

●**しらたき**
しらたき、にんじん、きゅうりのマヨサラダ ･･･ 163
しらたきとピーマンのチャプチェ ･･････････ 163

●**ズッキーニ**
ズッキーニの粒マスタード和え ･･･････････ 188

●**セロリ**
えびとセロリのスパイシー炒め ･･･････････ 95
大豆とセロリのトマト煮 ･･･････････････ 115
ロースハム、セロリ、春雨のサラダ ･･･････ 141

●**ぜんまい**
ぜんまいのごま炒め ･･････････････････ 188

●**大根（おろし含む）**
大根とにんじんの酢のもの ･･･････････････ 37
焼き肉（おろしポン酢味） ･･･････････････ 49
揚げ出し豆腐 ･･･････････････････････ 106
揚げ大根のおかか和え ･･･････････････ 150
大根のからしマヨネーズサラダ ･･･････････ 150
大根のナムル ･･･････････････････････ 151
大根のだし煮 ･･･････････････････････ 151
大根のしそ和え ･････････････････････ 151
焼きしいたけのおろし和え ･･･････････････ 165
春雨と大根、にんじんのすまし汁 ･･･････ 170

●**たけのこ（ゆで）**
チンジャオロースー ･･････････････････ 47
牛肉、ピーマン、ゆでたけのこの塩炒め ･･･ 47
酢豚 ････････････････････････････ 62

●**たまねぎ**
牛もも肉とたまねぎのガーリック炒め ･･････ 46
酢豚 ････････････････････････････ 62
肉じゃが ･･･････････････････････････ 65
肉じゃが カレー味 ･･････････････････ 65
手羽先ポトフ ･･･････････････････････ 69
手羽先のクリーム煮 ･･････････････････ 69
大豆のかき揚げ ･････････････････････ 114
トマトとたまねぎの和風サラダ ･･････････ 135
たまねぎと水菜のサラダ ･････････････ 148
たまねぎの煮びたし ･･････････････････ 148
たまねぎのから揚げ ･･････････････････ 149
たまねぎのソース炒め ･･･････････････ 149
にんじん、たまねぎ、絹さやのコンソメスープ ･･ 170
カレーライス ･･･････････････････････ 174
たまねぎとにんじんのグリル ･･･････････ 184

●**チンゲン菜**
豚ヒレ肉の中華ソテー ･････････････････ 56
たいの中華蒸し　ごま油がけ ･･････････ 89
チンゲン菜の中華炒め煮 ･････････････ 130
冷やし中華 ･･･････････････････････ 183

●**トマト**
豚肉とトマトの炒め煮 ･････････････････ 60
トマトとオレンジのサラダ ･･･････････････ 134
トマトのガーリック炒め ･････････････････ 134
トマトとたまねぎの和風サラダ ･･････････ 135

●**トマト水煮**
大豆とセロリのトマト煮 ･･･････････････ 115

●**長いも**
もずくと長いもの和えもの ･･･････････････ 167
かるかん ･･････････････････････････ 193

●**長ねぎ**
じゃがいもとねぎのみそ汁 ･･･････････････ 37
ねぎの牛肉巻き焼き ･･･････････････････ 53
ユーリンチー　ねぎソース ･･･････････････ 66
水炊き鍋 ･･････････････････････････ 96
カキのみそ鍋 ･･･････････････････････ 97
油揚げのねぎつめ焼き ･･･････････････ 113

●**なす**
揚げなすのポン酢和え ･････････････････ 41
豆腐と揚げなすのボリュームサラダ ･･･････ 103
揚げなすの煮びたし ･･････････････････ 154
なすの甘酢マリネ ･･･････････････････ 154

●**菜の花**
菜の花のからし和え ･･････････････････ 130

●**なめこ**
なめことえのきのしぐれ煮 ･･･････････････ 164

●**にら**
にらと揚げ春雨の中華スープ ･･･････････ 170

●**にんじん**
ゆでキャベツのコールスローサラダ ･･･････ 35
大根とにんじんの酢のもの ･･･････････････ 37
牛肉とにんじんのケチャップ煮 ･･･････････ 52
肉じゃが ･･･････････････････････････ 65
肉じゃが カレー味 ･･････････････････ 65
手羽先ポトフ ･･･････････････････････ 69
キャロットラペ ･･････････････････････ 132
にんじんのリボンサラダ ･････････････････ 132
にんじんの甘煮 ･････････････････････ 133
にんじんのナムル ･･･････････････････ 133
にんじんとコーンのソテー ･･･････････････ 133
にんじんのヨーグルトみそ漬け ･･････････ 156
せん切りごぼうとにんじんのサラダ ･･･････ 159
しらたき、にんじん、きゅうりのマヨサラダ ･･･ 163
春雨と大根、にんじんのすまし汁 ･･･････ 170
カレーライス ･･･････････････････････ 174
たまねぎとにんじんのグリル ･･･････････ 184
れんこんとにんじんのきんぴら ･･････････ 188

●**白菜**
白菜のスープ ･･･････････････････････ 39
白菜の重ね蒸し ･････････････････････ 64
水炊き鍋 ･･････････････････････････ 96
焼き豆腐のすき焼き風 ･･････････････････ 105
白菜のしょうが煮 ･･･････････････････ 144
白菜のマヨネーズ和え ･･･････････････ 144
白菜のオイスターソース炒め ･･･････････ 145
白菜のレモン風味漬け ･･･････････････ 145
白菜の浅漬け ･･････････････････････ 156

●**パプリカ**
パプリカの甘酢漬け ･･････････････････ 33
かじきのマリネ ･････････････････････ 85
かじきのフライ ･････････････････････ 85
いかのアヒージョ ･･･････････････････ 91
いかのバジル炒め ･･････････････････ 92
パプリカの塩昆布和え ･･･････････････ 136
パプリカのアンチョビ炒め ･･･････････････ 137
パプリカのピクルス ･････････････････ 157
ガパオ ･･･････････････････････････ 176
パッタイ ･････････････････････････ 182

●**春雨**
肉じゃが ･･･････････････････････････ 65
肉じゃが カレー味 ･･････････････････ 65
揚げ春雨と揚げ卵の中華ソース ･･･････ 123
きゅうりと春雨のサラダ ･････････････････ 155

春雨と大根、にんじんのすまし汁 ･･･････ 170
にらと揚げ春雨の中華スープ ･･･････････ 170

●**ピーマン**
チンジャオロースー ･･････････････････ 47
牛肉、ピーマン、ゆでたけのこの塩炒め ･･･ 47
ホイコーロー ･･･････････････････････ 61
酢豚 ････････････････････････････ 62
ピーマンの焼きびたし ･･･････････････ 136
ピーマンのきんぴら ･････････････････ 137
しらたきとピーマンのチャプチェ ･･････････ 163

●**ブロッコリー**
豚ヒレ肉のクリーム煮 ･････････････････ 59
豚ヒレ肉のカレー煮 ･･････････････････ 59
ブロッコリーの塩ごま和え ･･･････････････ 138
ブロッコリーのからし和え ･･･････････････ 138
ブロッコリーのチーズ炒め ･･･････････････ 139
ブロッコリーとフライドオニオンのサラダ ･･･ 139

●**ほうれん草**
ほうれん草としめじのみそ汁 ･･･････････ 35
ほうれん草ソテーの巣ごもり目玉焼き ･･･ 116
ほうれん草の松の実炒め ･････････････ 129
ほうれん草の煮びたし ･･･････････････ 129

●**まいたけ**
ミックスきのこのオイル漬け ･･･････････ 165

●**マッシュルーム**
いかのアヒージョ ･･･････････････････ 91
マッシュルームのごま酢和え ･･･････････ 165

●**水菜**
ぶりしゃぶ ･････････････････････････ 78
カキのみそ鍋 ･･･････････････････････ 97
湯豆腐 ･･･････････････････････････ 100
豆腐と揚げなすのボリュームサラダ ･･･････ 103
水菜と油揚げの煮もの ･･･････････････ 131
水菜ののり和え ･････････････････････ 131
たまねぎと水菜のサラダ ･････････････ 148

●**三つ葉**
しいたけと三つ葉のすまし汁 ･･･････････ 41
えびのかき揚げ ･････････････････････ 93
大豆のかき揚げ ･････････････････････ 114
くずきり茶碗蒸し ･･･････････････････ 122
にんじんのリボンサラダ ･････････････････ 132
ささがきごぼうと三つ葉のごま和え ･･････ 158

●**ミニトマト**
ミニトマトのごま酢和え ･･･････････････ 135
ミニトマトのはちみつ漬け ･･･････････････ 135
ミニトマトとわかめのみそ汁 ･････････････ 168
冷やし中華 ･･･････････････････････ 183
ゆでアスパラ＆ミニトマトのごまマヨ添え ･･･ 184

●**もやし**
豚もも肉ともやし炒め ･･･････････････ 61
厚揚げのもやしあんかけ ･･･････････････ 110
もやし入りオムレツ ･････････････････ 118
さば缶とキャベツチャンプルー ･････････ 141
もやしのカレー煮 ･･･････････････････ 146
もやしの甘酢漬け ･･･････････････････ 146
もやしのオイスターソース炒め ･･････････ 147
もやしののり和え ･･･････････････････ 147

●**レタス**
コンビーフとレタスの炒めもの ･･････････ 141

●**れんこん**
れんこんなます ･････････････････････ 160
れんこんの黒こしょう炒め ･･･････････････ 160
れんこんとにんじんのきんぴら ･･････････ 188

>>> 食材別索引　p.204からご覧下さい

●たいの続き
たいのポワレ・・・・・・・・・・・・・・・・・・・・89
ちらしずし・・・・・・・・・・・・・・・・・・・・179
●たら
ブイヤベース・・・・・・・・・・・・・・・・・・・97
●ちくわ
ちくわの磯辺揚げ・・・・・・・・・・・・・141
和えそば・・・・・・・・・・・・・・・・・・・・・181
●ツナ（油漬け缶）
豆腐チャンプルー・・・・・・・・・・・・・・・99
クロワッサンサンド・・・・・・・・・・・・180
●とろろ昆布
さといものとろろ昆布和え・・・・・・161
●のり
豆腐のかば焼き風・・・・・・・・・・・・・101
水菜ののり和え・・・・・・・・・・・・・・・131
もやしののり和え・・・・・・・・・・・・・147
●ひじき
ひじきとえのきの梅煮・・・・・・・・・・167
●ぶり
ぶりしゃぶ・・・・・・・・・・・・・・・・・・・・78
ぶりの照り焼き・・・・・・・・・・・・・・・・79
ぶりのガーリックソテー・・・・・・・・・79
●まぐろ
ちらしずし・・・・・・・・・・・・・・・・・・・・179
●もずく／もずく酢
もずくと長いもの和えもの・・・・・・・167
もずく酢のサンラータン・・・・・・・・168
●わかめ
白菜のスープ・・・・・・・・・・・・・・・・・・39
わかめ入り卵焼き・・・・・・・・・・・・・123
わかめの炒めナムル風・・・・・・・・・166
わかめフライ・・・・・・・・・・・・・・・・・167
ミニトマトとわかめのみそ汁・・・・・168

大豆

●厚揚げ
厚揚げのきのこあんかけ・・・・・・・・・107
厚揚げのステーキ　ガーリック風味・・・108
厚揚げのポン酢炒め・・・・・・・・・・・109
厚揚げのもやしあんかけ・・・・・・・・110
厚揚げのクリーム煮・・・・・・・・・・・・111
パッタイ・・・・・・・・・・・・・・・・・・・・・182
●油揚げ
油揚げのねぎつめ焼き・・・・・・・・・113
水菜と油揚げの煮もの・・・・・・・・・131
●がんもどき
がんもどきの煮もの・・・・・・・・・・・112
●絹ごし豆腐
塩麻婆豆腐・・・・・・・・・・・・・・・・・・98
湯豆腐・・・・・・・・・・・・・・・・・・・・・100
あさり入り炒り豆腐・・・・・・・・・・・・104
●大豆
大豆のかき揚げ・・・・・・・・・・・・・・114
大豆とセロリのトマト煮・・・・・・・・115
●納豆
オクラと納豆のみそ汁・・・・・・・・・・168
●木綿豆腐
豆腐チャンプルー・・・・・・・・・・・・・・・99
豆腐のかば焼き風・・・・・・・・・・・・・101
豆腐のベーコン巻き焼き・・・・・・・・102
豆腐と揚げなすのボリュームサラダ・・・103
揚げ出し豆腐・・・・・・・・・・・・・・・・・106

●焼き豆腐
焼き豆腐のすき焼き風・・・・・・・・・105

卵

●うずら卵
ガパオ・・・・・・・・・・・・・・・・・・・・・176
●鶏卵（半熟卵含む）
ほうれん草ソテーの巣ごもり目玉焼き・・・116
揚げ卵のカレーソースがけ・・・・・・117
もやし入りオムレツ・・・・・・・・・・・・118
温野菜の温玉サラダ・・・・・・・・・・・119
レタスとふんわり卵炒め・・・・・・・・120
だし巻き卵・・・・・・・・・・・・・・・・・・・121
アンチョビ風味のスクランブルエッグ・・・121
くずきり茶碗蒸し・・・・・・・・・・・・・122
揚げ春雨と揚げ卵の中華ソース・・・123
わかめ入り卵焼き・・・・・・・・・・・・・123
かにあんかけチャーハン・・・・・・・・175
オムライス・・・・・・・・・・・・・・・・・・・179
米粉パンのフレンチトースト・・・・・180
冷やし中華・・・・・・・・・・・・・・・・・・・183

野菜・きのこ

●アスパラガス
アスパラガスの牛肉巻き揚げ・・・・・53
ゆでアスパラ＆ミニトマトのごまマヨ添え・・・184
●梅干し
梅しそカツ・・・・・・・・・・・・・・・・・・・57
いわしのロール揚げ・・・・・・・・・・・・・82
●えのきたけ
厚揚げのきのこあんかけ・・・・・・・・・107
なめことえのきのしぐれ煮・・・・・・・164
ひじきとえのきの梅煮・・・・・・・・・・167
●エリンギ
えびのチリソース炒め・・・・・・・・・・・94
ミックスきのこのホイル焼き・・・・・164
●オクラ
オクラと納豆のみそ汁・・・・・・・・・・168
●かぶ（葉を含む）
かぶの葉のごま和え・・・・・・・・・・・152
かぶのコンソメ煮・・・・・・・・・・・・・152
かぶのカレーマヨサラダ・・・・・・・・153
かぶのゆずこしょう和え・・・・・・・・153
かぶの葉のペペロンチーノ炒め・・・153
かぶの塩麹漬け・・・・・・・・・・・・・・156
かぶのすりながし・・・・・・・・・・・・・169
●かぼちゃ
かぼちゃのサラダ・・・・・・・・・・・・・・39
揚げかぼちゃ・・・・・・・・・・・・・・・・・140
かぼちゃの甘煮・・・・・・・・・・・・・・・140
クロワッサンサンド・・・・・・・・・・・・180
かぼちゃの大学いも風・・・・・・・・・187
●カリフラワー
カリフラワーのカレースープ・・・・・169
●絹さや
にんじん、たまねぎ、絹さやのコンソメスープ・・・170
●キムチ
牛こまとキムチの炒めもの・・・・・・・54
キンパ・・・・・・・・・・・・・・・・・・・・・・177
●キャベツ
ゆでキャベツのコールスローサラダ・・・35

ホイコーロー・・・・・・・・・・・・・・・・・・・61
豆腐チャンプルー・・・・・・・・・・・・・・・99
揚げ卵のカレーソースがけ・・・・・・117
さば缶とキャベツチャンプルー・・・141
キャベツとコーンのサラダ・・・・・・・142
キャベツのしらす和え・・・・・・・・・・142
キャベツのクミン和え・・・・・・・・・・143
キャベツの煮びたし・・・・・・・・・・・143
キャベツの塩昆布和え・・・・・・・・・143
ザワークラウト風キャベツ・・・・・・・157
キャベツとコーンのミルクスープ・・・169
五目焼きそば・・・・・・・・・・・・・・・・・183
●きゅうり
かにかまときゅうりのマヨ和え・・・141
たたききゅうり・・・・・・・・・・・・・・・155
きゅうりと春雨のサラダ・・・・・・・・155
きゅうりのクミン炒め・・・・・・・・・・155
しらたき、にんじん、きゅうりのマヨサラダ・・・163
●ごぼう
牛肉とごぼうのしぐれ煮・・・・・・・・・55
牛肉とごぼうのケチャップ煮・・・・・・55
ごぼうのピクルス・・・・・・・・・・・・・157
ささがきごぼうと三つ葉のごま和え・・・158
ごぼうのトマト煮・・・・・・・・・・・・・158
揚げごぼう・・・・・・・・・・・・・・・・・・・159
せん切りごぼうとにんじんのサラダ・・・159
ごぼうのマリネ・・・・・・・・・・・・・・・159
●小松菜
小松菜のガーリック炒め・・・・・・・・128
●コーン
クリームコーンスープ・・・・・・・・・・・33
にんじんとコーンのソテー・・・・・・・133
キャベツとコーンのサラダ・・・・・・・142
キャベツとコーンのミルクスープ・・・169
●こんにゃく
ちぎりこんにゃくのこしょう炒め・・・162
田楽・・・・・・・・・・・・・・・・・・・・・・・162
●さつまいも
きざみ昆布とさつまいもの煮もの・・・166
さつまいものレモン煮・・・・・・・・・・188
さつまいももち・・・・・・・・・・・・・・・195
●さといも
揚げ出しさといも・・・・・・・・・・・・・161
さといものとろろ昆布和え・・・・・・・161
●しいたけ
しいたけと三つ葉のすまし汁・・・・・・41
いかのてんぷら・・・・・・・・・・・・・・・・90
湯豆腐・・・・・・・・・・・・・・・・・・・・・100
ミックスきのこのホイル焼き・・・・・164
焼きしいたけのおろし和え・・・・・・・165
ミックスきのこのオイル漬け・・・・・165
●しめじ
ほうれん草としめじのみそ汁・・・・・・35
水炊き鍋・・・・・・・・・・・・・・・・・・・・96
厚揚げのクリーム煮・・・・・・・・・・・・111
ミックスきのこのオイル漬け・・・・・165
しめじのしょうゆ炒め・・・・・・・・・・187
●じゃがいも
じゃがいもとねぎのみそ汁・・・・・・・37
牛もも肉のステーキ マッシュポテト添え・・・51
肉じゃが・・・・・・・・・・・・・・・・・・・・・65
肉じゃが カレー味・・・・・・・・・・・・・65
手羽先ポトフ・・・・・・・・・・・・・・・・・69

食材別索引

本書でおもに使われている材料別にレシピを探せる索引です。家にある食材から作るときなどに活用して下さい。肉、野菜などのジャンルごとに、五十音順に並べています。

肉・肉加工品

牛肉

●牛薄切り肉
牛肉とにんじんのケチャップ煮 · · · · · · · · · · · · 52
アスパラガスの牛肉巻き揚げ · · · · · · · · · · · 53
ねぎの牛肉巻き焼き · · · · · · · · · · · 53

●牛カルビ肉
焼き肉（たれ味） · · · · · · · · · · · 49
焼き肉（おろしポン酢味） · · · · · · · · · · · 49

●牛こま肉
牛こまとキムチの炒めもの · · · · · · · · · · · 54
牛肉とごぼうのしぐれ煮 · · · · · · · · · · · 55
牛肉とごぼうのケチャップ煮 · · · · · · · · · · · 55

●牛もも薄切り肉
牛もも肉のカレーソテー · · · · · · · · · · · 50

●牛もも肉
牛もも肉とたまねぎのガーリック炒め · · · · · · 46
チンジャオロースー · · · · · · · · · · · 47
牛肉、ピーマン、ゆでたけのこの塩炒め · · · · · · 47
牛もも肉のみそ漬け焼き · · · · · · · · · · · 48
焼き肉（たれ味） · · · · · · · · · · · 49
焼き肉（おろしポン酢味） · · · · · · · · · · · 49
牛もも肉のステーキ マッシュポテト添え · · · · · · 51
牛もも肉のステーキ　赤ワインソース · · · · · · 51

豚肉

●豚肩ロース薄切り肉
カレーライス · · · · · · · · · · · 174

●豚肩ロース肉
豚肉のしょうが焼き · · · · · · · · · · · 35
五目焼きそば · · · · · · · · · · · 183

●豚バラ肉
白菜の重ね蒸し · · · · · · · · · · · 64
肉じゃが · · · · · · · · · · · 65
肉じゃが カレー味 · · · · · · · · · · · 65
キンパ · · · · · · · · · · · 177

●豚ヒレ肉
豚ヒレ肉の中華ソテー · · · · · · · · · · · 56
チーズヒレカツ · · · · · · · · · · · 57
梅しそカツ · · · · · · · · · · · 57
治部煮 · · · · · · · · · · · 58
豚ヒレ肉のクリーム煮 · · · · · · · · · · · 59
豚ヒレ肉のカレー煮 · · · · · · · · · · · 59

●豚もも肉
豚肉とトマトの炒め煮 · · · · · · · · · · · 60
ホイコーロー · · · · · · · · · · · 61
豚もも肉ともやし炒め · · · · · · · · · · · 61

●豚ロース薄切り肉
酢豚 · · · · · · · · · · · 62
ポークソテー ケチャップソース · · · · · · · · · · · 63
ポークソテー マスタードソース · · · · · · · · · · · 63

鶏肉

●鶏手羽先
焼き手羽先 · · · · · · · · · · · 68
手羽先ポトフ · · · · · · · · · · · 69
手羽先のクリーム煮 · · · · · · · · · · · 69
タンドリーチキン · · · · · · · · · · · 184

●鶏むね肉
蒸し鶏 · · · · · · · · · · · 70
ヨーグルトみそ漬け焼き · · · · · · · · · · · 71
ヨーグルト塩麹漬け焼き · · · · · · · · · · · 71
鶏肉のフォー · · · · · · · · · · · 182

●鶏もも肉
鶏のから揚げ · · · · · · · · · · · 33
鶏の照り焼き · · · · · · · · · · · 37
ユーリンチー　ねぎソース · · · · · · · · · · · 66
チキンソテー · · · · · · · · · · · 67
チキンソテー　オレンジソース · · · · · · · · · · · 67
水炊き鍋 · · · · · · · · · · · 96
トマトパスタ · · · · · · · · · · · 181

ひき肉

●合いびき肉
ミートボールのトマト煮 · · · · · · · · · · · 72
ひき肉のこしょう炒め · · · · · · · · · · · 188

●鶏ひき肉
鶏団子の中華煮込み · · · · · · · · · · · 73
和風鶏団子 · · · · · · · · · · · 73
チキンドリア · · · · · · · · · · · 175
ガパオ · · · · · · · · · · · 176

●豚ひき肉
塩麻婆豆腐 · · · · · · · · · · · 98
豆腐のかば焼き風 · · · · · · · · · · · 101

加工品

●コンビーフ
コンビーフとレタスの炒めもの · · · · · · · · · · · 141

●ソーセージ
ソーセージのジャーマンポテト · · · · · · · · · · · 141

●ハム
オムライス · · · · · · · · · · · 179
冷やし中華 · · · · · · · · · · · 183

●ベーコン
豆腐のベーコン巻き焼き · · · · · · · · · · · 102
大豆とセロリのトマト煮 · · · · · · · · · · · 115

●ロースハム
ロースハム、セロリ、春雨のサラダ · · · · · · · · · · · 141

魚介・魚介加工品

●あさり（缶詰含む）
かじきとあさりのワイン蒸し · · · · · · · · · · · 84
ブイヤベース · · · · · · · · · · · 97
あさり入り炒り豆腐 · · · · · · · · · · · 104
クリームリゾット · · · · · · · · · · · 178

●あじ
あじフライ · · · · · · · · · · · 39
洋風マリネ · · · · · · · · · · · 80
あじのムニエル · · · · · · · · · · · 81
あじのマヨネーズ焼き · · · · · · · · · · · 81

●アンチョビ
アンチョビ風味のスクランブルエッグ · · · · · · 121
パプリカのアンチョビ炒め · · · · · · · · · · · 137

●いか
いかのてんぷら · · · · · · · · · · · 90
いかのアヒージョ · · · · · · · · · · · 91
いかのバジル炒め · · · · · · · · · · · 92

●いくら
ちらしずし · · · · · · · · · · · 179

●いわし
いわしのロール揚げ · · · · · · · · · · · 82
いわしのつみれ煮 · · · · · · · · · · · 83
いわしのトマト煮 · · · · · · · · · · · 83

●うなぎのかば焼き
ひつまぶし · · · · · · · · · · · 177

●えび（むき）
えびのかき揚げ · · · · · · · · · · · 93
えびのチリソース炒め · · · · · · · · · · · 94
えびとセロリのスパイシー炒め · · · · · · · · · · · 95
ブイヤベース · · · · · · · · · · · 97
五目焼きそば · · · · · · · · · · · 183

●カキ
カキのみそ鍋 · · · · · · · · · · · 97

●かじき
かじきとあさりのワイン蒸し · · · · · · · · · · · 84
かじきのマリネ · · · · · · · · · · · 85
かじきのフライ · · · · · · · · · · · 85

●かつお
かつおの角煮 · · · · · · · · · · · 86
かつおのたたき · · · · · · · · · · · 87
かつおの竜田揚げ · · · · · · · · · · · 87

●かに缶
かにあんかけチャーハン · · · · · · · · · · · 175

●かに風味かまぼこ
くずきり茶碗蒸し · · · · · · · · · · · 122
かにかまときゅうりのマヨ和え · · · · · · · · · · · 141

●きざみ昆布
きざみ昆布とさつまいもの煮もの · · · · · · · · · · · 166

●ぎんだら
ぎんだら塩麹漬け揚げ · · · · · · · · · · · 187

●桜えび
パッタイ · · · · · · · · · · · 182

●鮭
鮭の竜田揚げ · · · · · · · · · · · 74
鮭の塩麹焼き · · · · · · · · · · · 75
鮭のホイル焼き · · · · · · · · · · · 75
自家製鮭フレーク · · · · · · · · · · · 188

●さば
さばの酢じめ · · · · · · · · · · · 76
さばのみそ煮 · · · · · · · · · · · 77
さばの揚げ煮 · · · · · · · · · · · 77

●さば缶
さば缶とキャベツチャンプルー · · · · · · · · · · · 141

●さわら
さわらの西京焼き風 · · · · · · · · · · · 41

●塩昆布
パプリカの塩昆布和え · · · · · · · · · · · 136
キャベツの塩昆布和え · · · · · · · · · · · 143

●シーフードミックス
シーフードチャーハン · · · · · · · · · · · 178

●しらす干し
キャベツのしらす和え · · · · · · · · · · · 142

●たい
たいのサラダ仕立て · · · · · · · · · · · 88
たいの中華蒸し ごま油がけ · · · · · · · · · · · 89
→p.203に続く

204

>>> たんぱく質量順索引　p.207からご覧下さい

［淡色野菜］の続き

0.8g	揚げなすの煮びたし	154
0.8g	ズッキーニの粒マスタード和え	188
0.9g	キャベツの煮びたし	143
1.0g	キャベツの塩昆布和え	143
1.0g	もやしのカレー煮	146
1.0g	揚げ大根のおかか和え	150
1.1g	もやしの甘酢漬け	146
1.1g	かぶの葉のペペロンチーノ炒め	153
1.2g	もやしのオイスターソース炒め	147
1.3g	もやしののり和え	147
1.5g	かにかまときゅうりのマヨ和え	141
1.7g	かぶの葉のごま和え	152
1.8g	ロースハム、セロリ、春雨のサラダ	141
2.7g	キャベツのしらす和え	142

［根菜・いも・きのこ・海藻］

0.3g	揚げごぼう	159
0.3g	ごぼうのマリネ	159
0.3g	ちぎりこんにゃくのこしょう炒め	162
0.4g	わかめの炒めナムル風	166
0.4g	さつまいものレモン煮	188
0.5g	きざみ昆布とさつまいもの煮もの	166
0.5g	もずくと長いもの和えもの	167
0.6g	さといものとろろ昆布和え	161
0.6g	ミックスきのこのオイル漬け	165
0.6g	ぜんまいのごま炒め	188
0.7g	せん切りごぼうとにんじんのサラダ	159
0.7g	れんこんなます	160
0.7g	れんこんの黒こしょう炒め	160
0.7g	しらたき、にんじん、きゅうりのマヨサラダ	163
0.7g	わかめフライ	167
0.7g	しめじのしょうゆ炒め	187
0.8g	ごぼうのトマト煮	158
0.8g	揚げ出しさといも	161
0.8g	田楽	162
0.8g	しらたきとピーマンのチャプチェ	163
0.8g	なめことえのきのしぐれ煮	164
0.8g	ひじきとえのきの梅煮	167
0.8g	れんこんとにんじんのきんぴら	188
0.9g	ごぼうのピクルス	157
0.9g	焼きしいたけのおろし和え	165
1.0g	ミックスきのこのホイル焼き	164
1.1g	ささがきごぼうと三つ葉のごま和え	158
1.2g	マッシュルームのごま酢和え	165

汁もの

0.2g	にんじん、たまねぎ、絹さやのコンソメスープ	170
0.3g	もずく酢のサンラータン	168
0.4g	白菜のスープ	39
0.4g	かぶのすりながし	169
0.4g	にらと揚げ春雨の中華スープ	170
0.5g	春雨と大根、にんじんのすまし汁	170
0.6g	しいたけと三つ葉のすまし汁	41
0.7g	カリフラワーのカレースープ	169
1.2g	ミニトマトとわかめのみそ汁	168
1.6g	クリームコーンスープ	33
1.6g	じゃがいもとねぎのみそ汁	37
1.7g	ほうれん草としめじのみそ汁	35
2.2g	キャベツとコーンのミルクスープ	169
2.5g	オクラと納豆のみそ汁	168

主食

8.4g	鶏肉のフォー	182
8.4g	パッタイ	182
8.6g	チキンドリア	175
9.1g	シーフードチャーハン	178
9.8g	かにあんかけチャーハン	175
9.8g	クロワッサンサンド	180
10.1g	カレーライス	174
10.6g	キンパ	177
10.6g	米粉パンのフレンチトースト	180
10.8g	ガパオ	176
12.0g	オムライス	179
12.1g	和えそば	181
12.5g	冷やし中華	183
12.6g	クリームリゾット	178
13.0g	ひつまぶし	177
13.2g	ちらしずし	179
13.5g	五目焼きそば	183
15.9g	トマトパスタ	181

デザート

0.3g	缶詰フルーツのフルーツポンチ	194
0.3g	りんごジュース寒天	194
0.3g	みつ豆風くずもち	197
0.3g	くずもち風きなこもち	199
0.4g	タピオカ入りクリームティー	195
0.6g	さつまいももち	195
0.7g	くずきりの甘酒仕立て	198
0.9g	栗甘露煮のココア和え	196
1.1g	かるかん	193
1.1g	タピオカのココナッツミルク仕立て	197
1.4g	ゆであずきの寒天よせ	193
1.4g	揚げ白玉	199
1.7g	りんごのレンジコンポートクリームチーズ和え	196
2.3g	いちごジャムの炭酸ゼリー	192
2.4g	ヨーグルトマシュマロ	198
2.7g	洋なし缶のババロア風	192

p.207からご覧下さい　**たんぱく質量順索引** >>>

12.0g	あじフライ	39

主菜｜大豆

7.3g	油揚げのねぎつめ焼き	113
7.5g	豆腐と揚げなすのボリュームサラダ	103
7.5g	揚げ出し豆腐	106
7.8g	大豆のかき揚げ	114
8.7g	塩麻婆豆腐	98
8.8g	豆腐のかば焼き風	101
8.9g	湯豆腐	100
9.2g	大豆とセロリのトマト煮	115
9.3g	豆腐のベーコン巻き焼き	102
9.3g	焼き豆腐のすき焼き風	105
9.6g	あさり入り炒り豆腐	104
9.7g	がんもどきの煮もの	112
10.0g	豆腐チャンプルー	99
10.9g	厚揚げのきのこあんかけ	107
10.9g	厚揚げのステーキ　ガーリック風味	108
11.0g	厚揚げのポン酢炒め	109
11.3g	厚揚げのもやしあんかけ	110
11.3g	厚揚げのクリーム煮	111

主菜｜卵

5.8g	レタスとふんわり卵炒め	120
5.9g	だし巻き卵	121
6.0g	もやし入りオムレツ	118
6.0g	わかめ入り卵焼き	123
6.1g	揚げ春雨と揚げ卵の中華ソース	123
6.3g	アンチョビ風味のスクランブルエッグ	121
6.4g	揚げ卵のカレーソースがけ	117
7.1g	温野菜の温玉サラダ	119
7.7g	ほうれん草ソテーの巣ごもり目玉焼き	116
8.0g	くずきり茶碗蒸し	122

副菜

[緑黄色野菜]

0.3g	パプリカの甘酢漬け	33
0.4g	キャロットラペ	132
0.5g	チンゲン菜の中華炒め煮	130
0.5g	にんじんのリボンサラダ	132
0.5g	にんじんの甘煮	133
0.5g	トマトのガーリック炒め	134
0.6g	にんじんのナムル	133
0.6g	ミニトマトのはちみつ漬け	135
0.6g	パプリカのアンチョビ炒め	137
0.6g	パプリカのピクルス	157
0.6g	かぼちゃの大学いも風	187
0.7g	小松菜のガーリック炒め	128

0.7g	トマトとオレンジのサラダ	134
0.7g	パプリカの塩昆布和え	136
0.7g	ピーマンのきんぴら	137
0.7g	かぼちゃの甘煮	140
0.8g	にんじんとコーンのソテー	133
0.8g	トマトとたまねぎの和風サラダ	135
0.8g	ピーマンの焼きびたし	136
0.9g	かぼちゃのサラダ	39
1.0g	揚げかぼちゃ	140
1.0g	ゆでアスパラ&ミニトマトのごまマヨ添え	184
1.1g	ミニトマトのごま酢和え	135
1.1g	にんじんのヨーグルトみそ漬け	156
1.2g	ほうれん草の松の実炒め	129
1.3g	水菜ののり和え	131
1.5g	春菊のごま和え	128
1.8g	ほうれん草の煮びたし	129
2.0g	ブロッコリーとフライドオニオンのサラダ	139
2.1g	菜の花のからし和え	130
2.1g	ブロッコリーのからし和え	138
2.2g	ブロッコリーの塩ごま和え	138
2.7g	水菜と油揚げの煮もの	131
2.7g	ブロッコリーのチーズ炒め	139

[淡色野菜]

0.2g	大根とにんじんの酢のもの	37
0.3g	白菜のレモン風味漬け	145
0.3g	大根のしそ和え	151
0.3g	かぶのゆずこしょう和え	153
0.3g	たまねぎとにんじんのグリル	184
0.4g	白菜のマヨネーズ和え	144
0.4g	大根のからしマヨネーズサラダ	150
0.4g	大根のナムル	151
0.4g	かぶのコンソメ煮	152
0.4g	たたききゅうり	155
0.4g	きゅうりのクミン炒め	155
0.5g	白菜のしょうが煮	144
0.5g	白菜のオイスターソース炒め	145
0.5g	大根のだし煮	151
0.5g	きゅうりと春雨のサラダ	155
0.5g	白菜の浅漬け	156
0.5g	かぶの塩麹漬け	156
0.6g	揚げなすのポン酢和え	41
0.6g	たまねぎのソース炒め	149
0.6g	なすの甘酢マリネ	154
0.7g	ゆでキャベツのコールスローサラダ	35
0.7g	かぶのカレーマヨサラダ	153
0.7g	ザワークラウト風キャベツ	157
0.8g	キャベツとコーンのサラダ	142
0.8g	キャベツのクミン和え	143
0.8g	たまねぎと水菜のサラダ	148
0.8g	たまねぎの煮びたし	148
0.8g	たまねぎのから揚げ	149

→p.205に続く

たんぱく質量順索引

主菜、副菜などのジャンルごとに、たんぱく質の少ない順に並べています。
たんぱく質量から献立を組み立てるときに便利です。

主菜｜肉

5.4g	ソーセージのジャーマンポテト	141
6.9g	焼き手羽先	68
6.9g	タンドリーチキン	184
7.3g	ねぎの牛肉巻き焼き	53
7.4g	牛こまとキムチの炒めもの	54
7.5g	牛肉とごぼうのケチャップ煮	55
7.5g	手羽先のクリーム煮	69
7.7g	牛肉とにんじんのケチャップ煮	52
7.8g	ひき肉のこしょう炒め	188
7.9g	豚肉のしょうが焼き	35
7.9g	牛肉とごぼうのしぐれ煮	55
7.9g	手羽先ポトフ	69
8.0g	肉じゃが	65
8.0g	肉じゃが カレー味	65
8.3g	牛もも肉とたまねぎのガーリック炒め	46
8.3g	牛もも肉のステーキ　赤ワインソース	51
8.5g	焼き肉（おろしポン酢味）	49
8.6g	牛肉、ピーマン、ゆでたけのこの塩炒め	47
8.6g	牛もも肉のみそ漬け焼き	48
8.6g	牛もも肉のステーキ マッシュポテト添え	51
9.0g	チンジャオロースー	47
9.0g	アスパラガスの牛肉巻き揚げ	53
9.0g	ヨーグルト塩麹漬け焼き	71
9.0g	鶏団子の中華煮込み	73
9.1g	焼き肉（たれ味）	49
9.1g	梅しそカツ	57
9.2g	ヨーグルトみそ漬け焼き	71
9.2g	和風鶏団子	73
9.2g	コンビーフとレタスの炒めもの	141
9.3g	ポークソテー ケチャップソース	63
9.4g	牛もも肉のカレーソテー	50
9.4g	豚肉とトマトの炒め煮	60
9.5g	豚ヒレ肉のカレー煮	59
9.5g	ミートボールのトマト煮	72
9.6g	酢豚	62
9.6g	ポークソテー マスタードソース	63
9.7g	治部煮	58
9.8g	ホイコーロー	61
9.8g	豚もも肉ともやし炒め	61
10.0g	豚ヒレ肉のクリーム煮	59
10.0g	白菜の重ね蒸し	64
10.1g	豚ヒレ肉の中華ソテー	56
10.1g	蒸し鶏	70
10.4g	チーズヒレカツ	57

10.5g	鶏のから揚げ	33
10.5g	ユーリンチー ねぎソース	66
10.5g	チキンソテー	67
10.6g	鶏の照り焼き	37
10.7g	チキンソテー オレンジソース	67
11.2g	水炊き鍋	96

主菜｜魚介

5.8g	さば缶とキャベツチャンプルー	141
6.6g	カキのみそ鍋	97
7.0g	いかのてんぷら	90
7.3g	かじきとあさりのワイン蒸し	84
7.5g	いかのアヒージョ	91
7.6g	いかのバジル炒め	92
7.6g	ぎんだらの塩麹漬け揚げ	187
7.6g	自家製鮭フレーク	188
8.2g	かじきのマリネ	85
8.2g	ちくわの磯辺揚げ	141
8.3g	いわしのロール揚げ	82
8.5g	かじきのフライ	85
8.6g	あじの洋風マリネ	80
8.6g	かつおのたたき	87
8.6g	かつおの竜田揚げ	87
8.7g	かつおの角煮	86
8.8g	いわしのつみれ煮	83
8.8g	えびのかき揚げ	93
8.9g	あじのマヨネーズ焼き	81
8.9g	ブイヤベース	97
9.0g	いわしのトマト煮	83
9.1g	さばの酢じめ	76
9.1g	あじのムニエル	81
9.2g	えびとセロリのスパイシー炒め	95
9.3g	ぶりのガーリックソテー	79
9.4g	さばの揚げ煮	77
9.5g	ぶりの照り焼き	79
9.6g	さばのみそ煮	77
9.6g	えびのチリソース炒め	94
9.7g	鮭の塩麹焼き	75
9.7g	たいのサラダ仕立て	88
9.7g	たいのポワレ	89
9.8g	鮭の竜田揚げ	74
9.8g	鮭のホイル焼き	75
10.4g	ぶりしゃぶ	78
10.4g	たいの中華蒸し　ごま油がけ	89
11.2g	さわらの西京焼き風	41

207

監修
筑波大学医学医療系腎臓内科学教授
山縣邦弘

筑波大学附属病院栄養管理室
岩部博子

料理・レシピ制作
牧野直子

管理栄養士、料理研究家。
女子栄養大学卒業。在学中より栄養指導や健康料理の提案に携わる。書籍、雑誌、新聞、テレビ、ラジオ、講演会やセミナーなど幅広い分野で活躍で。『塩分早わかり』『腎臓病の食品早わかり』（以上、女子栄養大学出版部）、『世界一やさしい！栄養素図鑑』（新星出版社）など、著書、監修書多数。

Staff

料理アシスタント	徳丸美沙、石垣晶子
栄養価計算	スタジオ食
撮影	田中宏幸
スタイリング	井口美穂
装丁・本文デザイン	周玉慧
イラスト	小野寺美恵
校正	ゼロメガ、渡邊郁夫
編集協力	オフィス201

最新改訂版
筑波大学附属病院が教える
毎日おいしい腎臓病レシピ290

2022年12月27日　第1刷発行
2023年5月5日　第2刷発行

発行人	土屋　徹
編集人	滝口勝弘
発行所	株式会社Gakken
	〒141-8416　東京都品川区西五反田2-11-8
印刷所	大日本印刷株式会社
DTP製作	株式会社グレン

●この本に関する各種お問い合わせ先
本の内容については、下記サイトのお問い合わせフォームよりお願いします。
　　https://www.corp-gakken.co.jp/contact/
在庫については　Tel 03-6431-1250（販売部）
不良品（落丁、乱丁）については　Tel 0570-000577
　学研業務センター　〒354-0045　埼玉県入間郡三芳町上富279-1
上記以外のお問い合わせは　Tel 0570-056-710(学研グループ総合案内)

©Gakken

本書の無断転載、複製、複写（コピー）、翻訳を禁じます。
本書を代行業者等の第三者に依頼してスキャンやデジタル化することは、
たとえ個人や家庭内の利用であっても、著作権法上、認められておりません。

複写（コピー）をご希望の場合は、下記までご連絡ください。
日本複製権センター　https://jrrc.or.jp/
E-mail：jrrc_info@jrrc.or.jp
Ⓡ＜日本複製権センター委託出版物＞

学研グループの書籍・雑誌についての新刊情報・詳細情報は下記をご覧ください。
学研出版サイト　https://hon.gakken.jp/